HISTOIRES DE MATHÉMATIQUES ET DE POPULATIONS

D1482355

Collection *Le Sel et le Fer*

1. L. Salem, F. Testard, C. Salem, *Les plus belles formules mathématiques*
2. S. Gindikin, *Histoires de mathématiciens et de physiciens*
3. P. Halmos, *Problèmes pour mathématiciens petits et grands*
4. Collectif, *Leçons de mathématiques d'aujourd'hui (vol. 1)*
5. J. Maynard Smith, *La construction du vivant*
6. C. Tudge, *Néandertaliens, bandits, fermiers*
7. P. Singer, *Une gauche darwinienne*
8. Ph. Depondt, *L'entropie et tout ça*
9. M. Daly, M. Wilson, *La vérité sur Cendrillon*
10. R. Wilkinson, *L'inégalité nuit gravement à la santé*
11. D. Deutsch, *L'étoffe de la réalité*
12. Collectif, *Leçons de mathématiques d'aujourd'hui (vol. 2)*
13. B. Randé, *Les carnets indiens de Srinivasa Ramanujan*
14. W. Poundstone, *Le dilemme du prisonnier*
15. R. Feynman, D. et J. Goodstein, *Le mouvement des planètes autour du Soleil*
16. Collectif, *Leçons de mathématiques d'aujourd'hui (vol. 3)*
17. O. Toeplitz, *Le développement de l'analyse mathématique*
18. N. Bacaër, *Histoires de mathématiques et de populations*
19. V. Alekseev, *Le théorème d'Abel : un cours d'Arnold*

NICOLAS BACAËR

Histoires de mathématiques et de populations

CASSINI

Nicolas Bacaër est chercheur à l'Institut de recherche pour le développement (IRD).

ISBN 978-2-84225-101-7

À Nina Ming et Aili

Table des matières

Avant-propos   ix

1   La suite de Fibonacci (1202)   1

2   La table de Halley (1693)   5

3   Euler et la croissance géométrique des populations (1748)   13

4   L'équation d'Euler (1760)   19

5   Daniel Bernoulli et l'inoculation de la variole (1760)   23

6   La critique de d'Alembert (1760)   33

7   Süssmilch, Euler et « l'ordre divin » (1761)   39

8   Malthus et les obstacles à la croissance géométrique (1798)   45

9   Verhulst et l'équation logistique (1838)   51

10   Bienaymé et l'extinction des familles (1845)   57

11   Mendel et l'hérédité (1865)   61

12   Galton, Watson et l'extinction des familles (1873)   67

13   La loi de Hardy-Weinberg (1908)   75

14   Ross et la malaria (1911)   81

15   Fisher et la sélection naturelle (1922)   89

16   Yule et l'évolution (1924)   95

17   Lotka et la « biologie physique » (1925)   103

18   McKendrick et les épidémies (1926)   109

19   Haldane et les mutations (1927)   119

20   Le modèle de Fisher et Wright (1930)   125

21   Erlang, Steffensen et le problème de l'extinction (1930)   131

22   Volterra et la « théorie mathématique de la lutte pour la vie » (1931)   137

23 La diffusion des gènes (1937)   141

24 Lotka et la démographie (1939)   147

25 La matrice de Leslie (1945)   151

26 Percolation et épidémies (1957)   157

27 Théorie des jeux et évolution (1973)   163

28 Les populations chaotiques (1974)   171

29 La politique de l'enfant unique (1980)   181

30 Quelques problèmes contemporains   191

Bibliographie   199

Avant-propos

> *S'il existe une science de prévoir les progrès de l'espèce humaine, de les diriger, de les accélérer, l'histoire des progrès qu'elle a déjà faits en doit être la base première.*
>
> CONDORCET, *Esquisse d'un tableau historique des progrès de l'esprit humain*, 1795.

La dynamique des populations est la science qui cherche à expliquer par des mécanismes simples les variations dans le temps en nombre et en composition de populations biologiques (humaines, animales, végétales ou microbiennes). C'est un prolongement de la statistique des populations, dont le but est en général plus descriptif qu'explicatif. De par leurs liens avec les nombres, ces deux domaines font un grand usage du langage mathématique.

La dynamique des populations se trouve un peu à cheval entre plusieurs branches de la connaissance : les mathématiques, les sciences sociales (démographie), la biologie (génétique des populations et écologie) et la médecine (épidémiologie). De ce fait, elle est rarement présentée dans son ensemble malgré la similitude des problèmes rencontrés dans les diverses applications. Une exception notable en langue française est le petit livre dans la collection « Que sais-je ? » d'Alain Hillion intitulé *Les théories mathématiques des populations*. Mais le sujet y est présenté du point de vue du mathématicien, c'est-à-dire en distinguant divers grands types de modèles : modèles en temps discontinu

($t = 0, 1, 2...$) ou continu (t est alors un nombre réel), modèles déterministes (l'état dans le futur est connu avec certitude si l'état présent est connu exactement) ou aléatoires (faisant intervenir le hasard). Il décline ensuite logiquement : modèles discontinus déterministes, modèles continus déterministes, modèles discontinus aléatoires, modèles continus aléatoires.

Dans le présent ouvrage, on a essayé de présenter le même sujet d'un point de vue historique, de replacer les recherches dans leur contexte, en incluant notamment des éléments de biographie de quelques scientifiques. Ces éléments devraient rendre plus aisée la lecture de l'ouvrage aux personnes moins familières avec les mathématiques. Ils peuvent aussi aider à comprendre l'origine des problèmes étudiés. Cependant, ce livre n'est pas un livre d'érudition historique mais un livre d'introduction à la modélisation mathématique. Il a donc paru important de détailler un certain nombre de calculs pour que le lecteur se rende bien compte de ce que sont ces modèles et de leurs limites. Les parties les plus techniques sont écrites en caractères plus petits et peuvent être passées en première lecture sans que cela nuise à la compréhension du texte. Le dernier chapitre porte l'attention sur la multitude de problèmes contemporains relevant de la dynamique des populations que l'on peut chercher à analyser d'un point de vue mathématique. Une bibliographie avec des références aux sites web à partir desquels certains articles originaux peuvent être téléchargés complète l'ensemble pour ceux qui souhaiteraient approfondir certains chapitres.

Dans un ouvrage de cette longueur, il n'a pas été possible évidemment de dresser un tableau complet de toutes les recherches développées jusqu'à présent ou de parler de tous les scientifiques ayant contribué au sujet. Le choix effectué présente donc une part d'arbitraire et ce particulièrement pour les périodes plus récentes. On espère néanmoins que l'échantillon choisi est assez représentatif et que les personnes actives sur le sujet dont les travaux ne sont pas mentionnés ne seront pas froissées.

Idéalement, le public visé par ce livre se composerait ainsi :

- des collégiens, lycéens ou étudiants curieux d'apercevoir le lien qu'il peut exister entre les cours de mathématiques qu'ils sont contraints de suivre et le monde qui les entoure, ou devant préparer un travail personnel sur un thème en relation avec la dynamique des populations ;
- des enseignants de mathématiques cherchant à rendre leur cours plus attractif ; la connaissance des quatre opérations élémentaires (addition, soustraction, multiplication et division) est suffisante pour comprendre par exemple l'essentiel des chapitres 1, 2 et 8 ; le chapitre 3 peut servir d'introduction aux applications des logarithmes, les chapitres 5, 9 et 14 aux applications des équations différentielles, les chapitres 11, 12 et 13 aux applications du calcul des probabilités...
- des personnes ayant déjà des connaissances sur la démographie, l'épidémiologie, la génétique ou l'écologie et curieuses de comparer leur domaine avec d'autres qui peuvent avoir des modélisations mathématiques semblables ;
- des personnes intéressées par l'histoire des sciences ou plus généralement, selon l'expression de Condorcet, par les « progrès de l'esprit humain ».

À Pékin, février 2006

Chapitre 1

La suite de Fibonacci (1202)

Léonard de Pise, surnommé Fibonacci seulement bien après sa mort, naît vers 1170 dans la république de Pise qui est alors au sommet de sa puissance militaire et commerciale dans le bassin méditerranéen. C'est par exemple en 1173 que commence la construction de la célèbre tour de Pise. Vers 1192, le père de Fibonacci est envoyé par la république à Béjaïa[1], un port d'Afrique du Nord, pour y diriger un comptoir commercial. Peu après, il fait venir son fils pour y apprendre le calcul et le préparer ainsi à devenir marchand. C'est là que Léonard apprend le système de numération d'origine indienne utilisé par les Arabes, avec des chiffres qui sont presque sous leur forme actuelle : 0, 1, 2, 3, 4, 5, 6, 7, 8 et 9. En voyage d'affaires sur le pourtour méditerranéen, il compare les différents systèmes de calcul et étudie les mathématiques arabes. Il rentre vers 1200 à Pise. En 1202, il achève d'écrire un livre en latin intitulé *Liber abaci* (Le livre de l'abaque) dans lequel il expose le nouveau système de numération et montre comment l'utiliser pour la comptabilité, la conversion de poids et mesures, le calcul d'intérêts, le calcul de change et de nombreuses autres applications. Il rassemble également la plupart des résultats en algèbre et en arithmétique connus des arabes.

Dans son livre, Fibonacci considère par ailleurs ce qu'on appellerait aujourd'hui un problème de dynamique des populations, mais qui n'apparaît parmi une multitude d'autres problèmes[2] que comme un exercice de calcul. En voici une traduction approximative :

---

1. Aujourd'hui en Algérie. En français, cette ville est également appelée Bougie.
2. Le paragraphe précédent traite des nombres « parfaits » qui sont

> *Un homme possède un couple de lapins dans un lieu clos et souhaite savoir combien il y aura de couples au bout d'un an si par nature chaque couple de lapins donne naissance à partir de deux mois de vie à un nouveau couple de lapins tous les mois.*

S'il y a un couple de lapins nouveau-nés au début du premier mois, ce couple ne sera pas encore fertile au bout d'un mois ; il y aura donc encore un seul couple. Au début du troisième mois, ce couple de lapins donnera naissance à un autre couple ; il y aura donc deux couples de lapins au total. Au début du mois suivant, le premier couple de lapins donne encore naissance à un nouveau couple, tandis que l'autre couple n'est pas encore fertile. Il y aura donc au total 3 couples de lapins.

En utilisant des notations modernes, notons P_n le nombre de couples de lapins le mois n. Le nombre de couples de lapins le mois $n + 1$ (autrement dit P_{n+1}) est égal à la somme du nombre de couples de lapins du mois n (qui est P_n) et du nombre de couples de lapins nouveau-nés le mois $n + 1$. Or seuls les couples de lapins âgés de deux mois ou plus donnent naissance à un nouveau couple de lapins le mois $n + 1$. Ce sont donc les couples de lapins qui étaient présents le mois $n - 1$, qui sont au nombre de P_{n-1}. Ainsi,

$$P_{n+1} = P_n + P_{n-1}.$$

C'est ce qu'on appelle une relation de récurrence : elle donne la population du mois $n + 1$ par une formule dépendant de la population des mois antérieurs. À partir de là, Fibonacci construit facilement le tableau suivant :

n	1	2	3	4	5	6	7	8	9	10	11	12	13
P_n	1	1	2	3	5	8	13	21	34	55	89	144	233

où effectivement $1 + 1 = 2, 1 + 2 = 3, 2 + 3 = 5, 3 + 5 = 8$, etc. En réalité, Fibonacci considère comme situation initiale celle du

---

la somme de leurs diviseurs comme par exemple 28 (28=14+7+4+2+1) ; le suivant donne la solution d'un problème de répartition d'argent entre quatre personnes (équivalent à un système linéaire de quatre équations à quatre inconnues).

mois $n = 2$ dans le tableau. Comme $P_{14} = 144 + 233 = 377$, il trouve donc finalement douze mois après son point de départ 377 couples de lapins. Il remarque que cette suite de nombres peut se poursuivre indéfiniment.

Après 1202, Fibonacci écrira encore plusieurs livres, notamment *Practica geometriae* en 1220 et *Liber quadratorum* (Le livre des carrés) en 1225. Sa réputation lui vaut alors d'être présenté à l'empereur Frédéric II, également amateur de science. En 1241, la république de Pise l'honore en lui versant une pension annuelle. L'année de sa mort n'est pas connue.

Dans les siècles qui suivirent, le problème des lapins de Fibonacci tomba dans l'oubli et n'eut pas d'influence sur les modèles mathématiques développés pour la dynamique de populations. Plusieurs savants rencontrèrent la même suite dans leurs recherches mais sans se référer à Fibonacci ou à une quelconque population. C'est ainsi que dans plusieurs livres de Johannes Kepler, on trouve la remarque selon laquelle le rapport P_{n+1}/P_n converge quand n augmente indéfiniment vers une valeur limite qui se trouve être le nombre d'or $\phi = (1 + \sqrt{5})/2$. C'est là un cas particulier d'une propriété commune à la plupart des populations : la tendance à croître de manière géométrique (cf. chap. 3 et 25). En 1765, Leonhard Euler démontre au détour d'un mémoire la formule plus précise

$$P_n = \frac{1}{\sqrt{5}} \left[\frac{1 + \sqrt{5}}{2} \right]^n - \frac{1}{\sqrt{5}} \left[\frac{1 - \sqrt{5}}{2} \right]^n.$$

Au XIXe siècle est publiée une édition complète des œuvres de Fibonacci. Dès lors, la suite (P_n) se retrouve dans les livres de récréation mathématique sous le nom de suite de Fibonacci.

Il est clair que pour représenter une population de lapins, les hypothèses conduisant à la suite de Fibonacci sont loin d'être réalistes : absence de mortalité, absence de distinction entre les sexes... L'intérêt des dernières décennies pour cette suite dans le domaine de la biologie vient plutôt du fait que l'on a découvert sur quelques plantes des structures faisant intervenir certains des nombres P_n (en particulier les nombres 8, 13 et 21), par exemple dans les spirales à la base des pommes de pin ou dans les fleurs de tournesol (fig. 1). Un journal scientifique, *The Fibonacci Quarterly*, est même entièrement consacré à la suite de Fibonacci, à ses propriétés et à ses applications !

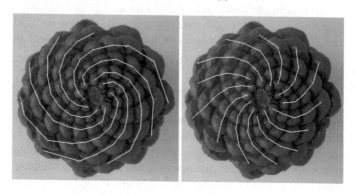

Fig. 1. *Pomme de pin avec 8 spirales dans un sens et 13 dans l'autre.*

Chapitre 2

La table de Halley (1693)

Edmond Halley naît à Londres en 1656, d'un père riche fabricant de savon. Très jeune, il s'intéresse à l'astronomie. Il étudie à partir de 1673 au Queen's College de l'université d'Oxford. Lorsque l'observatoire de Greenwich est inauguré en 1675, Halley assiste déjà Flamsteed, l'astronome royal. De 1676 à 1678, il interrompt ses études pour se rendre sur l'île de Sainte-Hélène et établir un catalogue des étoiles visibles depuis l'hémisphère sud. À son retour, il est élu à la Royal Society (fondée en 1660). Il publie également les observations faites au cours du voyage à Sainte-Hélène sur la circulation des vents. En 1684, il visite Cambridge pour discuter avec Newton du lien entre les lois de Kepler et la loi d'attraction entre le soleil et les planètes. Il encourage Newton à écrire le célèbre livre intitulé *Principes mathématiques de la philosophie naturelle,* qu'il fait publier à ses frais en 1687. En 1690, il conçoit une cloche à plongeur et crée une société exploitant cette invention.

Vers cette époque, un professeur habitant la ville de Breslau en Silésie[1], Caspar Neumann, recueille des données sur le nombre de naissances et de morts dans sa ville. Ces données indiquent en particulier l'âge des personnes décédées et peuvent donc être utilisées pour établir une table de la mortalité en fonction de l'âge.

Une première table de mortalité avait été publiée à Londres en 1662 dans un livre intitulé *Observations naturelles et politiques faites sur les bulletins de mortalité*. Ce livre, considéré souvent

---

1. Alors partie de l'Empire des Habsbourg. Actuellement Wrocław en Pologne.

Fig. 1. *Edmond Halley.*

comme le texte fondateur à la fois de la statistique et de la démographie, a une histoire un peu curieuse : on se demande encore aujourd'hui s'il a été écrit par John Graunt, commerçant de Londres et auteur indiqué en couverture, ou par son ami William Petty, un des fondateurs de la Royal Society[2]. En tout cas, la table de mortalité contenue dans le livre tentait d'exploiter les bulletins hebdomadaires sur les nombres d'enterrements et de baptêmes établis régulièrement à Londres depuis le début du xviie siècle. Ces bulletins servaient surtout à informer sur les épidémies récurrentes de peste. C'est pourquoi ils indiquaient la cause des morts et non l'âge des défunts. Pour parvenir à une table de mortalité en fonction de l'âge, il avait donc fallu relier les différentes maladies à des groupes d'âge, ce qui rendait la table assez incertaine. Le livre avait néanmoins connu un certain succès avec cinq éditions entre 1662 et 1676. Plusieurs villes d'Europe s'étaient mises aussi à publier des bulletins semblables à ceux de Londres.

---

2. Voir à ce sujet le livre d'Hervé Le Bras dans la bibliographie.

C'est donc près de trente ans après cette première table de mortalité que, sur le conseil de Leibniz, Neumann envoie à Henry Justel, le secrétaire de la Royal Society, ses données démographiques sur la ville de Breslau pour les années 1687-1691. À la mort de Justel, Halley récupère les données, les analyse et publie en 1693 ses conclusions dans les *Philosophical Transactions of the Royal Society*. Son article s'intitule *An estimate of the degrees of the mortality of mankind, drawn from curious tables of the births and funerals at the city of Breslaw, with an attempt to ascertain the price of annuities upon lives*.

Pour la période de cinq ans étudiée, Halley constate que le nombre de naissances à Breslau est à peu près égal au nombre de décès, ce qui fait que la population totale est presque constante. Pour simplifier l'analyse, il va supposer en fait que la population est exactement stationnaire : le nombre annuel de naissances (notons-le P_0), la population totale, la population d'âge k (notons-la P_k) et le nombre annuel de décès à l'âge k (notons-le M_k) sont tous constants au cours du temps. C'est là un intérêt supplémentaire des données de Breslau car une pareille simplification n'aurait pas été possible par exemple pour une ville en pleine croissance telle que Londres, où les statistiques sont également biaisées par l'afflux de population des campagnes.

À Breslau, les données indiquent une moyenne de 1 238 naissances par an : c'est la valeur que Halley prend pour P_0. En principe, il peut calculer aussi à partir des données la moyenne annuelle M_k du nombre de morts survenues à l'âge k pour tout $k \geqslant 0$. En utilisant la relation

$$P_{k+1} = P_k - M_k \, , \tag{1}$$

il peut donc construire le tableau 1 donnant les P_k (inversement, on peut retrouver les valeurs de M_k utilisées par la formule $M_k = P_k - P_{k+1}$; ainsi $M_0 = 238$, $M_1 = 145$, $M_2 = 57$, $M_3 = 38$ et ainsi de suite). En fait, Halley a un petit peu arrangé ses résultats, soit pour obtenir des nombres « ronds » (c'est le cas de M_1 qui est un peu modifié pour que $P_1 = 1\,000$), soit pour lisser certaines irrégularités dues au fait que les données ne

âge	nombre	âge	nombre	âge	nombre
1	1000	29	539	57	272
2	855	30	531	58	262
3	798	31	523	59	252
4	760	32	515	60	242
5	732	33	507	61	232
6	710	34	499	62	222
7	692	35	490	63	212
8	680	36	481	64	202
9	670	37	472	65	192
10	661	38	463	66	182
11	653	39	454	67	172
12	646	40	445	68	162
13	640	41	436	69	152
14	634	42	427	70	142
15	628	43	417	71	131
16	622	44	407	72	120
17	616	45	397	73	109
18	610	46	387	74	98
19	604	47	377	75	88
20	598	48	367	76	78
21	592	49	357	77	68
22	586	50	346	78	58
23	579	51	335	79	50
24	573	52	324	80	41
25	567	53	313	81	34
26	560	54	302	82	28
27	553	55	292	83	23
28	546	56	282	84	20

Tab. 1. *La table de Halley indiquant la population* P_k *d'âge k.*

portent que sur cinq ans. Faisant néanmoins la somme de tous les nombres P_k figurant dans la table, Halley obtient une estimation de la population totale de Breslau, environ [3] 34 000. Ainsi cette méthode a l'avantage de ne pas nécessiter de recensement général mais seulement la connaissance du nombre de naissances et de l'âge des morts.

Cette table de mortalité de Halley servira de référence à de nombreuses recherches au xviiie siècle (cf. chap. 5). En effet, si les valeurs des P_k sont spécifiques à la ville de Breslau, on peut considérer en revanche que les rapports successifs P_{k+1}/P_k représentent la probabilité de survivre jusqu'à l'âge $k+1$ sachant que l'on a déjà atteint l'âge k. Cette probabilité peut être utilisée pour les populations d'autres villes européennes de l'époque. Par exemple, on s'attend à ce qu'un enfant âgé d'un an ait 661 chances sur 1 000 d'atteindre 10 ans, 598 chances sur 1 000 d'atteindre 20 ans, etc.

Halley utilise également cette table pour calculer les annuités des rentes viagères. Aux xvie et xviie siècles, plusieurs villes et états avaient vendu à leurs citoyens de telles rentes pour lever de l'argent. Les acheteurs recevaient chaque année jusqu'à leur mort une somme égale à un certain pourcentage de la somme versée initialement, souvent le double du taux d'intérêt de l'époque, mais indépendamment de l'âge de l'acheteur. Évidemment, si trop de personnes avec une espérance de vie très longue achetaient ces rentes, l'institution risquait de se ruiner. Le problème ne pouvait être résolu correctement sans une table de mortalité fiable.

En 1671, le Grand pensionnaire [4] des Provinces Unies, Johan De Witt, et un bourgmestre de la ville d'Amsterdam, Johannes Hudde, envisageant les divers moyens de lever de l'argent pour renforcer l'armée par crainte d'une invasion française, s'étaient déjà penchés sur le problème de la fixation du prix des rentes viagères. Ils avaient à leur disposition des données sur les personnes

---

3. Pour les personnes d'âge supérieur à 84 ans, Halley précise seulement qu'il y en a 107.

4. En quelque sorte Premier ministre.

ayant acquis de telles rentes plusieurs décennies auparavant, en particulier l'âge auquel la rente avait été acquise et l'âge auquel chaque personne était morte. Ils étaient parvenus à calculer correctement le prix des rentes. Mais leurs méthodes de calcul n'avaient pas été diffusées. L'année suivante, les Provinces Unies étaient effectivement envahies et De Witt lynché par la foule.

Halley reprend donc le problème en 1693 avec la table de mortalité de Breslau et en supposant le taux d'intérêt fixé à 6%. Le principe du calcul est simple. Notons i le taux d'intérêt. Supposons qu'une rente d'une livre par an soit achetée par un homme d'âge k au prix R_k. Celui-ci à une probabilité P_{k+n}/P_k d'être encore en vie à l'âge $k + n$. La livre que l'État devra lui payer s'il atteint cet âge pourra être obtenue en plaçant au taux d'intérêt i la somme de $1/(1 + i)^n$ livres du capital de départ. Ainsi, si l'on ne tient pas compte du bénéfice que l'État peut vouloir retirer de la vente des rentes c'est-à-dire si l'on considère que l'argent recueilli par la vente ne sert qu'à payer les annuités, le prix de la rente devrait être donné par

$$R_k = \frac{1}{P_k}\left(\frac{P_{k+1}}{1 + i} + \frac{P_{k+2}}{(1 + i)^2} + \frac{P_{k+3}}{(1 + i)^3} + \cdots\right). \quad (2)$$

Halley obtient de cette manière le tableau 2 qui indique le coefficient par lequel il faut multiplier le montant de la rente annuelle souhaitée pour obtenir la somme à verser initialement. Un homme de 20 ans reçoit ainsi chaque année $1/12,78 \simeq 7,8\%$ de la somme qu'il verse initialement. Un homme de 50 ans reçoit en revanche $1/9,21 \simeq 10,9\%$ car il lui reste moins d'années à vivre.

Le calcul est bien sûr assez laborieux. Halley peut néanmoins utiliser les tables de logarithmes pour calculer plus rapidement le terme général $P_{k+n}/(1 + i)^n$. Comme il n'indique pas les valeurs qu'il a prises pour la mortalité au-delà de 84 ans, il n'est pas possible de refaire exactement ses calculs.

Ce travail n'aura cependant pas d'effet immédiat : pendant un certain temps, le gouvernement anglais continuera de vendre les rentes à un prix indépendant de l'âge et bien inférieur à ce qu'il devrait être (par exemple 7 fois l'annuité).

âge k	prix R_k	âge k	prix R_k	âge k	prix R_k
1	10,28	25	12,27	50	9,21
5	13,40	30	11,72	55	8,51
10	13,44	35	11,12	60	7,60
15	13,33	40	10,57	65	6,54
20	12,78	45	9,91	70	5,32

Tab. 2. *Coefficient multiplicateur de l'annuité déterminant le prix d'une rente viagère.*

Les questions autour de ces tables de mortalité intéressent de nombreux savants contemporains de Halley. Le hollandais Christiaan Huygens, auteur en 1657 du premier opuscule consacré au calcul des probabilités, *De ratiociniis in ludo aleae* (Du calcul dans les jeux de hasard), discute en 1669 dans sa correspondance avec son frère de la table de mortalité de Graunt et du calcul de l'espérance de vie[5]. Leibniz, quelques années avant de mettre en contact Neumann avec la Royal Society, se penche également sur le calcul de l'espérance de vie dans un *Essai de quelques raisonnements nouveaux sur la vie humaine et sur le nombre des hommes*, essai resté non publié. En 1709, c'est au tour de Nicolas Bernoulli. En 1725, Abraham de Moivre publie un traité complet consacré aux rentes viagères, *Treatise on Annuities*. Il remarque en particulier que le prix R_k d'une rente peut s'obtenir facilement pour un âge k élevé par la formule (2) qui contient alors peu de termes. Puis on peut utiliser la formule de récurrence descendante

$$R_k = \frac{P_{k+1}}{P_k} \frac{1 + R_{k+1}}{1 + i},$$

qui se démontre facilement à partir de la formule (2). Partant de la valeur que donne Halley pour le prix d'une rente achetée à

5. L'espérance de vie à l'âge k est donnée par la formule (2) avec $i = 0$!

70 ans, on peut ainsi vérifier[6] les autres valeurs du tableau 2.

Après cette parenthèse sur la démographie, Halley retourne à ses premiers sujets d'études. Entre 1698 et 1700, il sillonne l'océan Atlantique à bord d'un bâtiment de la marine pour dresser une carte magnétique. En 1704, il devient professeur de géométrie à l'université d'Oxford. L'année suivante, il publie un livre sur les comètes et prédit que celle de 1682, déjà observée par Kepler en 1607, reviendra en 1758 : ce sera la « comète de Halley ». S'intéressant à l'astronomie et aux mathématiques grecques, il publie une traduction en latin du livre d'Apollonius de Perga sur les coniques. En 1720, il succède à Flamsteed au poste d'astronome royal. Il essaie alors de résoudre le problème de la détermination de la longitude en mer à partir de l'observation de la lune, un problème d'une importance fondamentale pour la navigation. Il meurt à Greenwich en 1742.

---

6. De cette manière, on se rend compte qu'il y a probablement quelques petites erreurs, en particulier pour les âges 5 et 15 ans.

Chapitre 3

Euler et la croissance géométrique des populations (1748)

Leonhard Euler naît en 1707 à Bâle en Suisse. Son père est un pasteur protestant. En 1720, Euler entre à l'université où il étudie la théologie mais aussi les mathématiques avec l'aide de Jean Bernoulli, l'un des plus célèbres mathématiciens de la génération après Leibniz et Newton. Il devient l'ami de deux fils de Jean Bernoulli, Nicolas et Daniel. En 1727, Euler rejoint Daniel Bernoulli à la nouvelle Académie des sciences à Saint-Pétersbourg. À part les mathématiques, il s'intéresse aussi à la physique et à beaucoup d'autres sujets scientifiques et techniques. En 1741, le roi Frédéric II de Prusse l'appelle pour devenir directeur de la section de mathématiques de l'Académie des sciences à Berlin. Euler publie un nombre considérable de mémoires et de livres sur tous les aspects de la mécanique (astronomie, élasticité, fluides), sur les mathématiques (théorie des nombres, algèbre, séries, fonctions élémentaires, nombres complexes, calcul différentiel et intégral, équations différentielles et aux dérivées partielles, optimisation, géométrie) mais aussi sur la démographie et les assurances. Il est le mathématicien le plus productif de son époque.

En 1748, Euler publie un traité en latin intitulé *Introduction à l'analyse des infiniment petits*. Dans le chapitre consacré aux exponentielles et aux logarithmes, il considère six exemples : l'un a trait à la théorie mathématique des gammes de musique, un autre au calcul des remboursements dans un prêt à intérêt et quatre relèvent de la dynamique des populations. Dans ces

Fig. 1. *Leonhard Euler.*

derniers, Euler suppose que la population P_n de l'année n vérifie

$$P_{n+1} = (1 + x)\,P_n$$

pour tout n, avec $x > 0$. Partant d'une population initiale P_0, la population au fil des années est donc

$$P_0\,, \quad (1 + x)\,P_0\,, \quad (1 + x)^2\,P_0\,, \quad (1 + x)^3\,P_0 \ldots$$

et plus généralement $P_n = (1 + x)^n\,P_0$ l'année n. C'est ce qu'on appelle une croissance géométrique ou exponentielle. Le premier exemple demande :

> *Si le nombre d'habitants d'une province s'accroît tous les ans d'un trentième et s'il y a au commencement 100 000 habitants ; on veut savoir combien il y en aura au bout de 100 ans.*

La réponse est :

$$P_{100} = (1 + 1/30)^{100} \times 100\,000 \simeq 2\,654\,874\,.$$

Pour cet exemple, Euler s'est inspiré du recensement de la population de Berlin effectué en 1747 qui donnait une population de 107 224. Ce calcul montre notamment qu'une population peut en un siècle plus que décupler ; cela avait d'ailleurs déjà été constaté à l'époque pour Londres.

Il est à noter que si le calcul de $(1 + 1/30)^{100}$ se fait de nos jours aisément avec une calculatrice de poche (si on ne cherche pas à comprendre comment la calculatrice parvient au résultat), il fallait à l'époque avoir recours aux logarithmes pour obtenir le résultat rapidement et éviter ainsi d'avoir à faire un grand nombre de multiplications à la main. On calcule d'abord le logarithme décimal (de base 10) de P_{100}. La propriété fondamentale du logarithme $\log(a\,b) = \log a + \log b$ montre que

$$\begin{aligned} \log P_{100} &= 100 \, \log(1 + 1/30) + \log(100\,000) \\ &= 100 \, \log(31/30) + \log(10^5) \\ &= 100 \, (\log 31 - \log 30) + 5 \,. \end{aligned}$$

Les logarithmes avaient été introduits en 1614 par l'écossais John Neper. Son ami Henry Briggs avait publié à Londres en 1617 la première table de logarithmes décimaux. En 1628, le hollandais Adriaan Vlacq avait complété le travail de Briggs en publiant une table contenant les logarithmes décimaux des nombres entiers de 1 à 100 000 avec une précision de dix chiffres. C'est cette table que consulte Euler :

$$\log 30 \simeq 1{,}477\,121\,255 \quad \text{et} \quad \log 31 \simeq 1{,}491\,361\,694 \,.$$

Le calcul donne donc $\log P_{100} \simeq 6{,}424\,043\,9$. Reste à trouver le nombre P_{100} dont le logarithme est connu. Comme les logarithmes décimaux des nombres 1 à 100 000 ne varient que de 0 à 5, on recherche plutôt le logarithme de $P_{100}/100$, qui vaut 4,424 043 9. Dans la table, on remarque que

$$\log 26\,548 \simeq 4{,}424\,031\,809 \quad \text{et} \quad \log 26\,549 \simeq 4{,}424\,048\,168 \,.$$

De là, en approchant la fonction logarithme par un segment de droite entre 26 548 et 26 549, on peut estimer que

$$P_{100}/100 \simeq 26\,548 + \frac{4{,}424\,043\,9 - 4{,}424\,031\,809}{4{,}424\,048\,168 - 4{,}424\,031\,809}$$

$$\simeq 26\,548 + \frac{0{,}000\,012\,091}{0{,}000\,016\,359}$$

$$\simeq 26\,548{,}74\,.$$

D'où finalement $P_{100} \simeq 2\,654\,874$.

Le deuxième exemple concernant la dynamique des populations se présente ainsi :

> *La Terre ayant été repeuplée après le déluge par six hommes ;*
> *supposons qu'au bout de deux cents ans le nombre des*
> *hommes se soit élevé à un million, on demande de quelle*
> *partie il a dû augmenter tous les ans.*

Comme $10^6 = (1 + x)^{200} \times 6$, on obtient avec une calculatrice $x = (10^6/6)^{1/200} - 1 \simeq 0{,}061\,963$. Avec des tables de logarithmes, il faut passer par $\log(10^6) = 200\log(1+x) + \log 6$ donc $\log(1+x) = (6-\log 6)/200 \simeq 0{,}026\,109\,2$ et $1+x \simeq 1{,}061\,963$. Ainsi, Euler conclut que la population s'accroît de $x \simeq 1/16^e$ par an. Pour comprendre l'origine de cet exemple, il faut noter qu'à l'époque, des philosophes commencent à contester l'exactitude des récits bibliques. En particulier, une lecture littérale fait remonter le déluge à l'année 2350 av. J.-C. avec comme survivants : Noé et sa femme, leurs trois fils et leurs femmes. Le texte de la Genèse précise :

> *Ce sont là les trois fils de Noé et c'est leur postérité qui*
> *peupla toute la Terre.*

Euler, fils de pasteur et semble-t-il très croyant toute sa vie, estime vraisemblable cette croissance de $1/16^e$ par an de la population à partir du déluge et conclut[1] :

---

1. Dans le livre publié par Graunt en 1662 (cf. chap. 2), on trouve un passage semblable :

> *On voit par-là combien sont ridicules les objections de ces incrédules qui nient que toute la terre ait pu être peuplée en si peu de temps par un seul homme.*

Euler remarque également que si la croissance s'était poursuivie au même rythme jusqu'à quatre cents ans après le déluge, la population aurait été $(1 + x)^{400} \times 6 = (10^6/6)^2 \times 6 \simeq 166$ milliards et que

> *Ce nombre d'habitants est si considérable, que toute la Terre n'eût pas suffi pour les nourrir.*

Ce thème sera repris par Malthus un demi-siècle plus tard (cf. chap. 8).

Le troisième exemple demande :

> *Si le nombre des hommes est doublé à chaque siècle, quel est l'accroissement annuel ?*

Puisque $(1 + x)^{100} = 2$, on trouve avec une calculatrice $x = 2^{1/100} - 1 \simeq 0,006\ 95$. Avec des tables de logarithmes, $100 \log(1 + x) = \log 2$ donc $\log(1 + x) \simeq 0,003\ 010\ 3$ et $1 + x \simeq 1,006\ 95$. Ainsi, la population s'accroît de $x \simeq 1/144$ par an.

Le quatrième et dernier exemple se présente ainsi :

> *Si un nombre d'hommes augmente tous les ans de sa centième partie, on veut savoir après combien d'années le nombre en sera décuple.*

Avec $(1 + 1/100)^n = 10$, on trouve $n \log(101/100) = 1$ donc
$$n = \frac{1}{\log 101 - 2} \simeq 231 \text{ années.}$$

Un couple, soit Adam et Ève, doublant tous les 64 ans pendant les 5 160 années qui sont l'âge du monde suivant les Écritures, produira une population beaucoup plus nombreuse que celle qui existe actuellement. Donc le monde n'a pas plus de 100 000 ans comme certains prétentieux l'imaginent et n'est pas plus vieux que ne le font les Écritures.

Voilà donc ce qui se trouve dans l'*Introduction à l'analyse des infiniment petits* de 1748 concernant la dynamique des populations. Euler reviendra par la suite de manière plus détaillée sur ce sujet, comme on le verra aux chapitres 4 et 7.

Chapitre 4

L'équation d'Euler (1760)

En 1760, Euler présente à l'Académie des sciences de Berlin un mémoire en français intitulé *Recherches générales sur la mortalité et la multiplication du genre humain*. Ce mémoire fait en quelque sorte la synthèse entre son analyse de la croissance géométrique des populations (cf. chap. 3) et les travaux antérieurs sur les tables de mortalité (cf. chap. 2). Euler considère en particulier le problème suivant :

> *Connaissant tant le nombre des naissances que des enterrements qui arrivent pendant le cours d'une année, trouver le nombre de tous les vivants et leur augmentation annuelle, pour une hypothèse de mortalité donnée.*

Euler suppose donc connues :
- le nombre B_n de naissances au cours de l'année n ;
- le nombre M_n de morts au cours de l'année n ;
- la proportion q_k d'individus qui sont encore vivants au début de l'année de leur k^e anniversaire ($k \geqslant 1$).

Notons alors P_n la population [1] de l'année n. Euler fait implicitement deux hypothèses supplémentaires :
- la population croît de manière géométrique : $P_{n+1} = r\, P_n$;
- le rapport entre le nombre de naissances et la population est constant : $B_n/P_n = m$.

Ces deux dernières hypothèses impliquent que le nombre de naissances croît également de manière géométrique : $B_{n+1} = r\, B_n$. Euler considère alors l'état de la population à cent ans d'intervalle, disons entre les années $n = 0$ et $n = 100$, en supposant

---

1. Plus exactement, P_n est le nombre de personnes en vie pendant au moins une partie de l'année n, ce qui regroupe celles en vie en début d'année et celles nées au cours de l'année.

que personne ne survit au-delà de cent ans. Pour clarifier la présentation, notons $P_{n,k}$ ($k \geqslant 1$) la population en vie au début de l'année n qui est née l'année $n - k$ et $P_{n,0} = B_n$ le nombre de naissances au cours de l'année n. De par la définition de q_k, on a l'égalité $P_{n,k} = q_k P_{n-k,0} = q_k B_{n-k}$. On en déduit que

$$r^{100} P_0 = P_{100} = P_{100,0} + P_{100,1} + \cdots + P_{100,100}$$
$$= B_{100} + q_1 B_{99} + \cdots + q_{100} B_0$$
$$= (r^{100} + r^{99} q_1 + \cdots + q_{100}) B_0.$$

Divisant l'équation obtenue par $r^{100} P_0$, on obtient

$$1 = m \left(1 + \frac{q_1}{r} + \frac{q_2}{r^2} + \cdots + \frac{q_{100}}{r^{100}} \right). \tag{1}$$

C'est cette équation qui est parfois appelée « équation d'Euler » en démographie. Comptabilisant les naissances et les morts, on voit que

$$r \, P_n = P_{n+1} = P_n - M_n + B_{n+1} = P_n - M_n + r \, B_n . \tag{2}$$

Il en résulte que le nombre de morts croît également de manière géométrique : $M_{n+1} = r \, M_n$. De plus,

$$\frac{1}{m} = \frac{P_n}{B_n} = \frac{M_n/B_n - r}{1 - r} . \tag{3}$$

Remplaçant ceci dans l'équation (1), on arrive finalement à la relation

$$\frac{M_n/B_n - 1}{1 - r} = \frac{q_1}{r} + \frac{q_2}{r^2} + \cdots + \frac{q_{100}}{r^{100}} , \tag{4}$$

où ne subsiste qu'une inconnue : r. C'est ce qu'on appelle une équation « implicite » car il n'est pas possible d'extraire r en fonction des autres paramètres. En revanche, on peut calculer les parties gauche et droite de l'équation (4) pour une valeur de r fixée, puis faire varier r jusqu'à ce que les deux membres s'égalisent. La valeur de r ainsi obtenue est le coefficient de croissance de la population. À partir des équations (1) et (3), on obtient pour la population P_n les deux expressions suivantes :

$$P_n = B_n \left(1 + \frac{q_1}{r} + \frac{q_2}{r^2} + \cdots + \frac{q_{100}}{r^{100}} \right) = \frac{M_n - r \, B_n}{1 - r} .$$

Lorsque la population est stationnaire ($r = 1$), la première expression est bien celle utilisée par Halley pour estimer la population de la ville de Breslau (cf. chap. 2).

Cette étude permet à Euler de répondre aussi à la question suivante :

> *Les hypothèses de mortalité et fécondité étant données, si l'on connaît le nombre de tous les vivants, trouver combien il y en aura de chaque âge.*

En effet, si les coefficients de survie q_k et de fécondité m sont connus, alors la croissance r de la population se calcule à partir de l'équation (1). L'année n, les individus nés l'année $n - k$ sont au nombre de $q_k \, B_{n-k} = q_k \, B_n / r^k$ (avec $q_0 = 1$). La proportion de la classe d'âge k dans la population totale est donc

$$\frac{q_k / r^k}{1 + q_1/r + q_2/r^2 + \cdots + q_{100}/r^{100}}.$$

On remarque que cette proportion est constante. La population est dite « stable » : sa pyramide des âges conserve la même forme au cours du temps.

Euler réexamine également le problème de la construction de la table de mortalité lorsque la population n'est pas stationnaire mais croît de manière géométrique :

> *Connaissant le nombre de tous les vivants, de même que le nombre des naissances, avec les nombres des morts de chaque âge pendant le cours d'une année, trouver la loi de la mortalité.*

Euler entend par « loi de la mortalité » l'ensemble des coefficients de survie q_k. Il faut remarquer que la population totale est ici supposée connue, ce qui n'était pas le cas pour Halley (cf. chap. 2). Euler note tout d'abord que, grâce à l'équation (2), on peut calculer

$$r = \frac{P_n - M_n}{P_n - B_n}.$$

Notons $M_{n,k}$ le nombre de morts d'âge k l'année n ; il s'agit d'individus nés l'année $n - k$. Donc $M_{n,k} = (q_k - q_{k+1})\, B_{n-k}$. Or $B_{n-k} = B_n/r^k$. Les coefficients de survie q_k peuvent donc se calculer par la formule de récurrence

$$q_{k+1} = q_k - \frac{r^k\, M_{n,k}}{B_n}.$$

pour tout $k \geqslant 0$, avec $q_0 = 1$. Cette formule multipliée par B_n redonne la formule (1) du chapitre 2 utilisée par Halley dans le cas stationnaire $r = 1$. Euler insiste néanmoins sur le fait que cette méthode de calcul des coefficients de survie q_k suppose que la population croît ou décroît régulièrement, ce qui exclut les aléas comme la peste, la guerre, la famine... Cette méthode n'est utile que parce qu'il n'existe pas à l'époque de recensement par âge de la population [2].

Lorsque les coefficients de survie q_k sont connus (par cette méthode ou autrement), Euler montre comment calculer les annuités des rentes viagères ; il ne mentionne pas les travaux de Halley et de Moivre sur ce sujet. Pour cela, il utilise un taux d'intérêt de 5% et la table de mortalité publiée en 1742 par le financier hollandais Willem Kersseboom.

Fâché avec le roi de Prusse, Euler retourne en 1766 à Saint-Pétersbourg où il perd complètement la vue. Malgré cela, il publie encore beaucoup avec l'aide de son entourage, notamment sur l'algèbre, le calcul intégral, l'optique, la construction navale, etc. En 1768 sont publiées ses *Lettres à une princesse d'Allemagne sur divers sujets de physique et de philosophie*, qui connaissent un grand succès. Il meurt à Saint-Pétersbourg en 1783.

Sa contribution à la démographie mathématique, notamment le calcul de la pyramide des âges d'une population croissant géométriquement, ne sera véritablement reprise et étendue qu'au xxe siècle (cf. chap. 24 et 25).

---

2. Sauf en Suède.

Daniel Bernoulli et l'inoculation de la variole (1760)

Daniel Bernoulli naît en 1700 à Groningen aux Pays-Bas dans une famille qui compte déjà deux mathématiciens célèbres : son père (Jean Bernoulli) et son oncle (Jacques Bernoulli). En 1705, le père de Daniel s'installe à Bâle en Suisse pour occuper la chaire laissée vacante par la mort de son frère. De 1713 à 1716, Daniel y étudie la philosophie et la logique à l'université. Son père ne voulant pas qu'il étudie les mathématiques, il s'oriente vers la médecine à Heidelberg puis à Strasbourg et obtient son doctorat en médecine en 1721 à Bâle avec une dissertation sur la respiration. Le recrutement comme professeur à l'université de Bâle se fait alors par tirage au sort et Daniel n'est pas choisi par le hasard. Il doit aller poursuivre l'étude de la médecine à Venise. Cependant, il écrit en 1724 un mémoire mathématique qui reçoit un prix de l'Académie des sciences de Paris. Un poste lui est alors offert à l'Académie de Saint-Pétersbourg. À cette époque, ses travaux mathématiques portent notamment sur les suites récurrentes et sur ce qu'on a appelé le « paradoxe de Saint-Pétersbourg ». En 1733, Daniel Bernoulli revient à l'université de Bâle et y enseigne successivement la botanique, la physiologie et la physique. En 1738, il publie en latin un livre sur l'hydrodynamique resté célèbre dans l'histoire de la physique. Vers 1753, il s'intéresse en même temps qu'Euler et d'Alembert au problème des cordes vibrantes, qui va provoquer une importante controverse mathématique.

En 1760, il présente à l'Académie des sciences de Paris un mémoire intitulé *Essai d'une nouvelle analyse de la mortalité causée par la petite vérole et des avantages de l'inoculation pour la prévenir*. La petite vérole est le nom donné à l'époque à

Fig. 1. *Daniel Bernoulli.*

la variole. La question est alors de savoir s'il faut encourager l'inoculation, c'est-à-dire l'introduction volontaire d'une petite quantité de variole peu virulente dans l'organisme pour se protéger d'infections ultérieures, même si cela s'avère parfois mortel. Le procédé, connu depuis longtemps en Orient, est introduit en 1718 en Angleterre par Lady Montagu, femme de l'ambassadeur britannique dans l'Empire ottoman. En France, bien que le Grand Dauphin (fils aîné de Louis XIV) soit mort de la variole en 1711, les réticences concernant l'inoculation persistent. Voltaire, qui survit à la variole en 1723 mais en garde toute sa vie les marques sur son visage et qui séjourne en Angleterre de 1726 à 1729, est un partisan de l'inoculation ; il en fait le sujet de la onzième de ses *Lettres philosophiques* en 1735. L'explorateur La Condamine, lui aussi atteint dans sa jeunesse, plaide pour l'inoculation devant l'Académie des sciences de Paris en 1754.

    Peu avant sa mort à Bâle en 1759, Maupertuis, une autre figure scientifique importante de l'époque, encourage Daniel

Bernoulli à étudier le problème de l'inoculation d'un point de vue mathématique. Plus précisément, il s'agit de trouver une manière de comparer le bénéfice à long terme de l'inoculation avec le risque immédiat de mourir. Pour cela, Bernoulli adopte les hypothèses simplificatrices suivantes :

- indépendamment de son âge, un individu infecté pour la première fois par la variole meurt avec une probabilité p et survit avec une probabilité $1 - p$;
- indépendamment de son âge, un individu a une probabilité q d'être infecté dans l'année ; plus précisément, la probabilité qu'un individu soit infecté pendant le petit intervalle de temps dx entre l'âge x et l'âge $x + dx$ est $q\,dx$;
- lorsqu'un individu survit après avoir été infecté par la variole, il est immunisé pour le reste de sa vie.

Notons alors $m(x)$ la mortalité naturelle à l'âge x, c'est-à-dire la mortalité due à des causes différentes de la variole : la probabilité qu'un individu meure ainsi dans le petit intervalle de temps dx entre l'âge x et l'âge $x + dx$ est $m(x)\,dx$. Considérant un groupe de P_0 individus nés la même année, notons :

- $S(x)$ le nombre d'individus [1] qui sont encore en vie à l'âge x sans avoir été infectés (et qui sont donc encore susceptibles de l'être) ;
- $R(x)$ le nombre d'individus qui sont encore en vie à l'âge x et immunisés ;
- $P(x) = S(x) + R(x)$ le nombre total d'individus qui sont encore en vie à l'âge x.

La naissance correspond à $x = 0$. Ainsi $S(0) = P(0) = P_0$ et $R(0) = 0$. Appliquant le calcul infinitésimal développé à la fin du XVIIe siècle par Newton et Leibniz, puis par son oncle et son père, Daniel Bernoulli écrit qu'entre l'âge x et l'âge $x + dx$ (avec dx infiniment petit), chaque individu pas encore infecté a une probabilité $q\,dx$ d'attraper la variole et une probabilité $m(x)\,dx$

---

1. Plus exactement, il s'agit de l'espérance de ce nombre, qui peut donc varier continûment et pas seulement de un en un.

de mourir d'une autre cause. Donc la variation du nombre d'individus pas encore infectés est $d\mathrm{S} = -\mathrm{S}\,q\,dx - \mathrm{S}\,m(x)\,dx$, d'où l'équation différentielle

$$\frac{d\mathrm{S}}{dx} = -q\,\mathrm{S} - m(x)\,\mathrm{S}\,. \tag{1}$$

Dans cette équation, $d\mathrm{S}/dx$ est ce qu'on appelle la dérivée de la fonction $\mathrm{S}(x)$. Pendant le même petit intervalle de temps, le nombre d'individus qui meurent de la variole est $p\,\mathrm{S}\,q\,dx$ et le nombre d'individus qui survivent en devenant immunisés est $(1-p)\,\mathrm{S}\,q\,dx$. De plus, il y a $\mathrm{R}\,m(x)\,dx$ individus déjà immunisés qui meurent naturellement, ce qui conduit à une seconde équation différentielle

$$\frac{d\mathrm{R}}{dx} = q(1-p)\,\mathrm{S} - m(x)\,\mathrm{R}\,. \tag{2}$$

Additionnant ces deux équations, on obtient

$$\frac{d\mathrm{P}}{dx} = -p\,q\,\mathrm{S} - m(x)\,\mathrm{P}\,. \tag{3}$$

À partir des équations (1) et (3), Bernoulli peut montrer que la fraction d'individus qui à l'âge x sont encore susceptibles d'attraper la variole (on dira dans la suite simplement « susceptibles ») est

$$\frac{\mathrm{S}(x)}{\mathrm{P}(x)} = \frac{1}{(1-p)\,e^{q\,x} + p}\,. \tag{4}$$

Pour trouver la formule (4), Bernoulli a recours à une petite astuce qui consiste à éliminer $m(x)$ entre les équations (1) et (3) :

$$-m(x) = q + \frac{1}{\mathrm{S}}\frac{d\mathrm{S}}{dx} = p\,q\,\frac{\mathrm{S}}{\mathrm{P}} + \frac{1}{\mathrm{P}}\frac{d\mathrm{P}}{dx}\,.$$

Il en déduit après réarrangement des termes la relation

$$\frac{1}{\mathrm{P}}\frac{d\mathrm{S}}{dx} - \frac{\mathrm{S}}{\mathrm{P}^2}\frac{d\mathrm{P}}{dx} = -q\,\frac{\mathrm{S}}{\mathrm{P}} + p\,q\left[\frac{\mathrm{S}}{\mathrm{P}}\right]^2\,.$$

On remarque que le membre de gauche est la dérivée de $f(x) = \mathrm{S}(x)/\mathrm{P}(x)$, qui est la proportion d'individus pas encore infectés parmi les survivants d'âge x. Donc

$$\frac{df}{dx} = -q\,f + p\,q\,f^2\,. \tag{5}$$

La solution de ce type d'équation était connue déjà depuis plusieurs décennies grâce à Jacques Bernoulli, l'oncle de Daniel. Divisant l'équation par f^2 et posant $g(x) = 1/f(x)$, on voit que $dg/dx = qg - pq$ et que $g(0) = 1/f(0) = 1$. On pose alors $h(x) = g(x) - p$, de sorte que $dh/dx = qh$. Ainsi, $h(x) = h(0)e^{qx} = (1-p)e^{qx}$. Finalement, $g(x) = (1-p)e^{qx} + p$ et $f(x) = 1/g(x)$. C. Q. F. D.

Bernoulli utilise pour illustrer sa théorie la table de mortalité de Halley (cf. chap. 2) qui, rappelons-le, donne le nombre de survivants au début de l'année x (avec $x = 1, 2...$) d'une cohorte de 1 238 individus nés l'année 0. Bernoulli pense cependant comme la plupart de ses contemporains que les nombres indiqués par Halley sont les survivants *atteignant* l'âge x, c'est-à-dire $P(x)$ dans son modèle, ce qui est un peu différent. À cause de cette petite confusion (l'article de Halley n'est en effet pas très explicite), Bernoulli remplace le nombre 1 238 par 1 300 pour obtenir une mortalité réaliste pour la première année de vie ! Ces données sont présentées à nouveau dans la deuxième colonne du tableau 1. Bernoulli choisit pour la probabilité de mourir de la variole $p = 1/8 = 12,5\%$, ce qui est conforme aux observations de son époque. La probabilité annuelle d'attraper la variole q ne peut pas être estimée directement. Aussi Bernoulli va-t-il s'arranger pour choisir q de sorte que le total des morts dues à la variole après tous les calculs qui vont suivre représente environ 1/13 de toutes les morts, la proportion constatée alors dans plusieurs villes d'Europe. Le choix $q = 1/8$ par an convient pour cela, comme nous allons le voir.

Avec la formule (4) et les valeurs de $P(x)$ dans la deuxième colonne du tableau, on peut calculer le nombre d'individus $S(x)$ encore vivants à l'âge x sans avoir été infectés : c'est la troisième colonne du tableau arrondie à des nombres entiers. La quatrième colonne montre le nombre $R(x) = P(x) - S(x)$ d'individus encore vivants à l'âge x qui ont eu la variole et qui ont survécu. La cinquième colonne indique à la ligne pour l'âge x le nombre de morts dues à la variole entre l'âge x et l'âge $x + 1$. En théorie,

âge	en vie	suscep-tibles	immu-nisés	morts de variole	pas de variole
x	$P(x)$	$S(x)$	$R(x)$		$P^*(x)$
0	1300	1300	0	17,2	1300
1	1000	896	104	12,3	1015
2	855	685	170	9,8	879
3	798	571	227	8,2	830
4	760	485	275	7,0	799
5	732	416	316	6,1	777
6	710	359	351	5,2	760
7	692	311	381	4,6	746
8	680	272	408	4,0	738
9	670	238	432	3,5	732
10	661	208	453	3,0	726
11	653	182	471	2,7	720
12	646	160	486	2,3	715
13	640	140	500	2,1	711
14	634	123	511	1,8	707
15	628	108	520	1,6	702
16	622	94	528	1,4	697
17	616	83	533	1,2	692
18	610	72	538	1,1	687
19	604	63	541	0,9	681
20	598	55	543	0,8	676
21	592	49	543	0,7	670
22	586	42	544	0,6	664
23	579	37	542	0,5	656
24	572	32	540		649
$\vdots$	$\vdots$	$\vdots$	$\vdots$	$\vdots$	$\vdots$

Tab. 1. *Table de mortalité de Halley et calculs de Bernoulli.*

ce devrait être l'intégrale $p\,q \int_x^{x+1} S(t)\,dt$ mais la formule

$$p\,q\,[S(x) + S(x+1)]/2$$

est une bonne approximation (fig. 2) : c'est la méthode de calcul approché des intégrales dite méthode du trapèze.

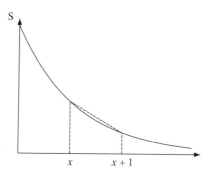

Fig. 2. *L'intégrale de la fonction* S *entre* x *et* x + 1 *est approchée par l'aire du trapèze en pointillés.*

Bernoulli remarque qu'en faisant la somme de tous les nombres de la cinquième colonne, on trouve que 98 individus meurent de la variole avant l'âge de 24 ans. Si l'on continuait le tableau aux âges supérieurs, on ne trouverait qu'environ 3 morts supplémentaires dues à la variole parmi les 32 individus qui à 24 ans sont encore susceptibles. Au total, sur les 1 300 nouveau-nés, 101 sont destinés à mourir de la variole, ce qui fait 1/13 comme escompté.

Après cela, Bernoulli considère la situation où la variole serait inoculée de manière inoffensive à toute la population dès la naissance. La variole serait éradiquée et la question est de savoir quel serait le gain en espérance de vie. Partant du même nombre P_0 à la naissance, notons $P^*(x)$ le nombre d'individus encore vivants à l'âge x en l'absence de variole. Alors

$$\frac{dP^*}{dx} = -m(x)\,P^*. \qquad (6)$$

En utilisant l'équation (3), Bernoulli montre que

$$P^*(x) = \frac{P(x)}{1 - p + p\,e^{-q\,x}} \, . \tag{7}$$

En effet, éliminant comme auparavant $m(x)$ entre les équations (6) et (3), Bernoulli trouve après réarrangement

$$\frac{1}{P^*}\frac{dP}{dx} - \frac{P}{P^{*2}}\frac{dP^*}{dx} = -p\,q\,\frac{S}{P}\frac{P}{P^*} \, .$$

Il pose alors $h(x) = P(x)/P^*(x)$. Utilisant la formule (4), il obtient en multipliant numérateur et dénominateur du membre de droite par $e^{-q\,x}$ l'équation

$$\frac{1}{h}\frac{dh}{dx} = -p\,q\,\frac{e^{-q\,x}}{1 - p + p\,e^{-q\,x}} \, ,$$

ce qui est équivalent à $\frac{d}{dx}\ln h = \frac{d}{dx}\ln(1 - p + p\,e^{-q\,x})$, où la notation ln désigne le logarithme « naturel ». Comme $h(0) = 1$, on a finalement $h(x) = 1 - p + p\,e^{-q\,x}$. C. Q. F. D.

En particulier, le rapport $P(x)/P^*(x)$ tend vers $1 - p$ pour des grandes valeurs de x. La sixième colonne du tableau 1 montre $P^*(x)$. Une manière de comparer $P(x)$ et $P^*(x)$ est d'estimer l'espérance de vie à la naissance, dont l'expression théorique est

$$\frac{1}{P_0}\int_0^\infty P(x)\,dx$$

avec la variole et une expression similaire avec $P^*(x)$ à la place de $P(x)$ en l'absence de variole. Bernoulli utilise l'expression approchée $[\frac{1}{2}P(0) + P(1) + P(2) + \cdots]/P_0$, qui est celle donnée par la méthode du trapèze (fig. 2). Poursuivant la table au-delà de 24 ans et jusqu'à 84 ans (cf. tableau 1 du chapitre 2), il trouve finalement que l'espérance de vie E avec la variole est $[\frac{1}{2}1300 + 1000 + \cdots + 20]/1300 \simeq 26{,}57$ années, c'est-à-dire 26 ans et 7 mois. Sans la variole, il obtient une espérance de vie E* égale à $[\frac{1}{2}1300 + 1015 + \cdots + 23]/1300 \simeq 29{,}65$ années, c'est-à-dire 29 ans et 8 mois. L'inoculation à la naissance permettrait donc de gagner plus de trois ans d'espérance de vie.

On peut remarquer qu'il y a une méthode plus simple et plus rapide que celle employée par Bernoulli pour obtenir ses formules. Partant de l'équation différentielle (1) pour $S(x)$, on voit d'abord que

$$S(x) = P_0 \, e^{-q \, x} \, \exp\left(-\int_0^x m(t) \, dt\right).$$

Utilisant cette expression dans l'équation (2) pour $R(x)$, on trouve

$$R(x) = P_0 \, (1 - p) \, (1 - e^{-q \, x}) \exp\left(-\int_0^x m(t) \, dt\right).$$

L'équation (6) pour $P^*(x)$ montre que

$$P^*(x) = P_0 \, \exp\left(-\int_0^x m(t) \, dt\right). \tag{8}$$

Les formules (4) et (7) s'en déduisent aussitôt !

Bien sûr, l'inoculation avec une souche peu virulente de la variole n'est pas complètement sans risque. Si p' est la probabilité de mourir de la variole lors de l'inoculation ($p' < p$), alors l'espérance de vie dans le cas où tous les enfants sont inoculés à la naissance devient $(1 - p') \, E^*$. Celle-ci ne reste supérieure à l'espérance de vie « naturelle » E que si $p' < 1 - E/E^*$ soit environ 11%. Bien qu'il n'y ait pas de données précises disponibles à l'époque, Bernoulli estime que le risque p' est en fait inférieur à 1%. Pour lui, il n'y a pas de doute : l'inoculation doit être encouragée par les États. Il conclut :

> *Je souhaite seulement que dans une question qui regarde de si près le bien de l'humanité, on ne décide rien qu'avec toute la connaissance de cause qu'un peu d'analyse et de calcul peut fournir.*

Après ce travail sur l'inoculation de la variole, Daniel Bernoulli n'abordera pas d'autre problème de dynamique des populations. Il meurt à Bâle en 1782.

On pourrait croire que les calculs de Bernoulli sont de la vieille histoire. En fait, ce n'est pas complètement le cas. Un article paru en l'an 2000 dans la revue *Nature* avait pour titre : *Bernoulli was ahead of modern epidemiology* !

Chapitre 6

La critique de d'Alembert (1760)

En 1717 naît à Paris l'enfant illégitime d'un officier de l'armée et de Madame de Tencin, qui tient un salon très prisé. Sa mère l'abandonne à sa naissance devant l'église Saint-Jean-Lerond, ce qui fait que l'enfant sera appelé Jean Lerond. Son père le place néanmoins chez une nourrice qui sera sa mère adoptive, veille à son éducation et lui lègue une petite rente viagère. Après des études au collège des Quatre-Nations[1], Jean suit des cours de droit et de médecine, prend le nom de « d'Alembert » et se tourne vers les mathématiques et la physique à partir de 1739. Trois ans plus tard, il obtient le titre d'adjoint de l'Académie des sciences mais ne deviendra pensionnaire à part entière qu'en 1765. Ses travaux se portent principalement sur la mécanique (*Traité de dynamique* en 1743), la mécanique des fluides (*Traité de l'équilibre et du mouvement des fluides* en 1744, *Réflexions sur la cause générale des vents* en 1746, *Essai d'une nouvelle théorie de la résistance des fluides* en 1752), la mécanique céleste (*Recherches sur la précession des équinoxes et sur la nutation de l'axe de la terre* en 1749, *Recherches sur différents points importants du système du monde* en 1754 et 1756) et la théorie physique de la musique (*Recherches sur les cordes vibrantes* en 1747, *Éléments de musique théorique et pratique suivant les principes de M. Rameau* en 1752). Son mémoire de 1746 sur un sujet proposé par Euler reçoit le prix de l'Académie de Berlin. À travers les mémoires de 1746 et 1747, d'Alembert introduit une nouvelle classe d'équations, les « équations aux dérivées partielles », qui s'avéreront être la base de nombreuses branches de la physique

---

1. Les bâtiments de ce collège accueillent depuis 1805 les académies : Académie française, Académie des sciences...

mathématique[2]. Il rencontre par ailleurs Denis Diderot. Tous deux dirigent le projet de rédaction de l'Encyclopédie jusqu'à ce que d'Alembert se retire en 1759. En 1751 paraît le premier tome. D'Alembert écrit notamment le *Discours préliminaire*, les articles sur les mathématiques et la physique mais aussi des articles tels que celui sur Genève qui conduit en 1757 à une polémique avec Jean-Jacques Rousseau. En 1754, il est élu à l'Académie française et fait la connaissance de Julie de Lespinasse. Il se consacre alors de plus en plus à la philosophie : *Mélanges de littérature et de philosophie* (sept tomes, 1753-1767), *Essai sur les éléments de philosophie* (1759).

Fig. 1. *D'Alembert.*

Le mémoire de Daniel Bernoulli sur l'inoculation de la variole est présenté à l'Académie des sciences à Paris en avril 1760. En novembre 1760, d'Alembert propose à son tour un mémoire *Sur l'application du calcul des probabilités à l'inoculation de la petite vérole*. Celui-ci est publié l'année suivante dans le deuxième tome de ses *Opuscules mathématiques*, avec des notes détaillant les calculs et avec un autre mémoire intitulé *Théorie*

---

2. Cf. les chapitres 18 et 23 pour leur utilisation en dynamique des populations.

mathématique de l'inoculation. D'Alembert critique surtout les deux premières hypothèses de Bernoulli sur l'indépendance des probabilités d'infection et de mort par la variole par rapport à l'âge. Il propose à la place la solution suivante, qui ne fait pas intervenir ces hypothèses. Notons $v(x)$ la mortalité due à la variole à l'âge x, $m(x)$ la mortalité naturelle et $P(x)$ le nombre d'individus encore en vie. Alors

$$\frac{d\text{P}}{dx} = -v(x)\,\text{P} - m(x)\,\text{P}\,. \tag{1}$$

En somme, si l'on compare avec l'équation (3) du chapitre 5, on voit que $v(x) = p\,q\,\text{S}(x)/\text{P}(x)$. Ici, on obtient

$$\text{P}^*(x) = \text{P}(x)\,\exp\!\left(\int_0^x v(t)\,dt\right), \tag{2}$$

où $\text{P}^*(x)$ désigne comme dans le chapitre précédent le nombre d'individus qui seraient encore vivants à l'âge x en l'absence de variole.

En effet, on peut soit éliminer la fonction $m(x)$ entre l'équation (6) du chapitre 5 et l'équation (1), soit utiliser la formule (8) du chapitre 5 pour $\text{P}^*(x)$ et remarquer que la solution de (1) est donnée par

$$\text{P}(x) = \text{P}_0\,\exp\!\left(-\int_0^x [v(t) + m(t)]\,dt\right).$$

La formule (2) de d'Alembert ne contredit pas la formule (7) du chapitre 5. Elle utilise simplement un autre type d'information $v(x)$, qui n'est pas accessible à l'époque parce que les registres de décès concernant la variole n'indiquent pas l'âge des victimes. D'Alembert suggère que tant que ces données ne sont pas accessibles, il est difficile de conclure quant à l'utilité de l'inoculation, ce qui est un peu exagéré.

D'Alembert critique également l'utilisation de l'espérance de vie comme critère de décision, puisque celle-ci accorde la même valeur aux années, qu'elles soient dans un futur proche ou dans un futur lointain. Il remarque également que du point de vue individuel ou du point de vue de l'État, toutes les années n'ont pas la même « utilité », la jeunesse et la vieillesse étant moins « utiles » que l'âge moyen. Malgré toutes ses critiques, d'Alembert se dit tout de même favorable à l'inoculation.

À cause des délais de publication, le mémoire de Bernoulli ne paraît qu'en 1766, tandis que d'Alembert a réussi à publier le sien très rapidement. Bernoulli décrit son amertume dans une lettre en français à Euler :

> *Que dites vous des énormes platitudes du grand d'Alembert sur les probabilités ; comme je me trouve, trop souvent, injustement traité dans ses ouvrages, j'ai pris la résolution depuis assez longtemps de ne rien lire qui sorte de sa plume ; j'ai pris cette résolution à l'occasion d'un mémoire sur l'inoculation, que j'ai envoyé à l'Académie de Paris il y a 8 ans et qui par la nouveauté de l'analyse avait été reçu avec un grand accueil ; c'était, si j'ose le dire, comme une nouvelle province incorporée au corps des mathématiques ; il semble que le succès de cette nouvelle analyse lui fit mal au cœur ; il la critique de mille façons, toutes également ridicules et après l'avoir bien critiquée il se donne pour premier auteur d'une théorie qu'il n'avait pas seulement entendu nommer. Il savait cependant que mon mémoire ne pouvait paraître que dans sept ou huit ans et il ne pouvait en avoir connaissance qu'en qualité d'académicien et à cet égard mon mémoire devait être sacré jusqu'à ce qu'il fut rendu public.* Dolus an virtus quis in hoste requirat ![3]

Malgré ces mémoires, l'inoculation n'est pas pratiquée à une grande échelle en France. Louis XV meurt de la variole en 1774 ; les médecins de la cour inoculent quand même toute la famille royale aussitôt. Le problème perd son importance lorsqu'Edward Jenner découvre que l'inoculation de la variole des vaches à un humain (la « vaccination ») protège contre la variole humaine tout en étant sans danger. Son mémoire,

---

3. *Qu'importe qu'on triomphe ou par force ou par ruse !* Virgile, *L'énéide*, Livre II.

An inquiry into the causes and effects of the variolae vaccina, paraît en 1798. La vaccination se répand alors rapidement en Europe. Néanmoins, les méthodes de calcul de l'allongement de l'espérance de vie restent utiles pour étudier d'autres causes particulières de décès.

Pendant ce temps, des données sur l'âge des personnes mortes de la variole devenant accessibles, le problème est reconsidéré notamment par :

- Johann Heinrich Lambert, un membre de l'Académie des sciences de Berlin, en 1772 ;
- Emmanuel-Étienne Duvillard, alors chargé des statistiques de la population au ministère de l'Intérieur à Paris, dans *Analyse et tableaux de l'influence de la petite vérole sur la mortalité à chaque âge et de celle qu'un préservatif tel que la vaccine peut avoir sur la population et la longévité* (1806) ;
- Pierre-Simon Laplace dans sa *Théorie analytique des probabilités* (1812).

Duvillard et Laplace montrent notamment comment modifier la formule (7) du chapitre 5 lorsque les paramètres p et q dépendent de l'âge :

$$ P^*(x) = \frac{P(x)}{1 - \int_0^x p(s)\, q(s)\, e^{-\int_0^s q(t)\, dt}\, ds} \, . $$

Ici, $p(x)$ est la probabilité de mourir de la variole si l'on est infecté à l'âge x et $q(x)$ est la probabilité d'être infecté par la variole au cours de l'année où l'on a l'âge x.

Quant à d'Alembert, ses *Opuscules mathématiques* paraissent en huit tomes de 1761 à 1780. En 1763, il rend visite au roi Frédéric II de Prusse, avec lequel il correspondait régulièrement et qui souhaitait le voir accepter la présidence de l'Académie de Berlin. En 1764, avec l'aide de son ami Voltaire, il publie anonymement une *Histoire de la destruction des Jésuites* qui fait scandale. La même année, il quitte la maison de ses parents adoptifs et s'installe chez Julie de Lespinasse. Il meurt en 1783.

Chapitre 7

Süssmilch, Euler et « l'ordre divin » (1761)

Johann Peter Süssmilch naît en 1707 près de Berlin dans une famille protestante. Après des études de théologie à Iéna et à Halle et quelques années passées comme précepteur, il devient aumônier militaire en 1736 puis occupe plusieurs charges ecclésiastiques. En 1741, il publie en allemand un traité intitulé *L'ordre divin dans les changements du genre humain, prouvé d'après la naissance, la mort et la propagation de l'espèce*, considéré de nos jours comme le premier entièrement consacré à la démographie. En 1745, il est élu à l'Académie des sciences de Berlin, devenant ainsi le collègue d'Euler. Il publie également un livre *Sur le rapide accroissement de la ville de Berlin* et s'intéresse à l'origine des langues.

En 1761, Süssmilch publie une deuxième édition augmentée de son traité de 1741. Euler participe à la rédaction d'un chapitre intitulé *Du rythme de l'accroissement et de la durée du doublement de la population*. Ce chapitre contient un modèle mathématique semblable à celui de Fibonacci (cf. chap. 1) mais pour une population humaine. Partant d'un couple composé d'un homme et d'une femme tous les deux âgés de 20 ans l'année 0, Euler suppose que tous les individus meurent à l'âge de 40 ans, que tous se marient à l'âge de 20 ans et que chaque couple engendre 6 enfants sous la forme de trois couples [1] : deux enfants à l'âge de 22 ans, deux à l'âge de 24 ans et deux à l'âge de 26 ans (un garçon et une fille à chaque fois). Comptant les années de deux en deux de sorte que N_i représente le nombre

---

1. Les mariages se font donc entre frères et sœurs comme dans la Bible après le déluge !

Fig. 1. *Johann Peter Süssmilch.*

de naissances de l'année $2i$, Euler en déduit que

$$N_i = N_{i-11} + N_{i-12} + N_{i-13} \tag{1}$$

en posant $N_i = 0$ si $i \leqslant 0$. Il obtient ainsi la deuxième colonne du tableau 1 qu'il poursuit jusqu'à $i = 150$. Le nombre de morts de l'année $2i$ est alors égal au nombre de naissances de l'année $2i - 40$. Quant au nombre de personnes en vie l'année $2i$, il est égal au nombre de personnes en vie l'année $2i - 2$ auquel on additionne le nombre de naissances de l'année $2i$ et dont on soustraie le nombre de morts de l'année $2i$.

Ce chapitre du livre de Süssmilch se conclut avec les mêmes remarques qui auraient pu être faites déjà concernant la suite de Fibonacci :

> *Les grands désordres qui semblent régner dans ce tableau d'Euler n'empêchent que les nombres des naissances appartiennent à un genre de progression que l'on appelle les séries récurrentes [...] Quel que soit le désordre initial de ces progressions, elles se transforment, si on ne les interrompt*

i	nés	morts	vivants	i	nés	morts	vivants
0	0	0	2	38	38	0	154
1	2	0	4	39	32	0	186
2	2	0	6	40	20	0	206
3	2	0	8	41	8	0	214
4	0	0	8	42	2	0	216
5	0	0	8	43	0	2	214
6	0	0	8	44	0	6	208
7	0	0	8	45	2	12	198
8	0	0	8	46	10	14	194
9	0	0	8	47	30	12	212
10	0	2	6	48	60	6	266
11	0	0	6	49	90	2	354
12	2	0	8	50	102	0	456
13	4	0	12	51	90	0	546
14	6	0	18	52	60	0	606
15	4	0	22	53	30	0	636
16	2	0	24	54	10	2	644
17	0	0	24	55	2	8	638
18	0	0	24	56	2	20	620
19	0	0	24	57	12	32	600
20	0	0	24	58	42	38	604
21	0	2	22	59	100	32	672
22	0	2	20	60	180	20	832
23	2	2	20	61	252	8	1076
24	6	0	26	62	282	2	1356
25	12	0	38	63	252	0	1608
26	14	0	52	64	180	0	1788
27	12	0	64	65	100	2	1886
28	6	0	70	66	42	10	1918
29	2	0	72	67	14	30	1902
30	0	0	72	68	16	60	1858
31	0	0	72	69	56	90	1824
32	0	2	70	70	154	102	1876
33	0	4	66	71	322	90	2108
34	2	6	62	72	532	60	2580
35	8	4	66	73	714	30	3264
36	20	2	84	74	786	10	4040
37	32	0	116	75	714	2	4752

Tab. 1. *Début du tableau construit par Euler.*

pas, en une progression géométrique et les désordres du commencement diminuent peu à peu, pour disparaître à peu près complètement.

Le livre ne contient pas plus de précision. Cependant, Euler a poussé l'analyse beaucoup plus loin dans un manuscrit intitulé *Sur la multiplication du genre humain* resté non publié de son vivant. Cherchant une solution de l'équation (1) de la forme $N_i = a\, x^i$, c'est-à-dire de la forme d'une progression géométrique, il obtient après simplification une équation polynomiale de degré 13 :

$$x^{13} = x^2 + x + 1 \, . \tag{2}$$

Il cherche alors une solution proche de $x = 1$ et remarque en s'aidant d'une table de logarithmes pour le calcul de x^{13} que

$$1 + x + x^2 - x^{13} \simeq \begin{cases} 0{,}212 & \text{si} \quad x = 1{,}09 \, , \\ -0{,}142 & \text{si} \quad x = 1{,}10 \, . \end{cases}$$

L'équation (2) a donc une racine x_* entre 1,09 et 1,10. Remplaçant de manière approchée la fonction $1 + x + x^2 - x^{13}$ par un segment de droite sur cet intervalle, Euler obtient

$$x_* \simeq \frac{0{,}142 \times 1{,}09 + 0{,}212 \times 1{,}10}{0{,}142 + 0{,}212} \simeq 1{,}096\,0 \, .$$

Les années étant comptées de deux en deux, le nombre de naissances a tendance à être multiplié par $\sqrt{x_*}$ chaque année. Ce nombre doublera au bout de n années si $(\sqrt{x_*})^n = 2$, soit au bout de $n = 2 \log 2 / \log x_* \simeq 15$ années. Puisque de manière asymptotique $N_i \simeq a\, x_*^i$ et puisque le nombre M_i de morts l'année $2i$ est égal à N_{i-20}, on a aussi $M_i \simeq N_i / x_*^{20}$ avec $x_*^{20} \simeq 6{,}25$. Le nombre P_i de personnes en vie l'année $2i$ étant égal à $N_i + N_{i-1} + \cdots + N_{i-19}$, on a enfin

$$P_i = N_i \left(1 + \frac{1}{x} + \cdots + \frac{1}{x^{19}} \right) = N_i\, \frac{1 - x^{20}}{x^{19} - x^{20}} \simeq 9{,}59\, N_i \, .$$

La justification du fait que la suite (N_i) présentée dans le tableau 1 croît bien de manière asymptotique comme x_*^i est plus délicate. Il était connu depuis les travaux d'Abraham de Moivre sur les suites récurrentes qu'en posant

$$f(x) = \sum_{i=0}^{\infty} N_i\, x^i$$

on pouvait trouver une expression de $f(x)$ sous forme de fraction rationnelle. Euler avait exposé la méthode dans son *Introduction à l'analyse des infiniment petits* en 1748 : la relation de récurrence (1) donne en effet

$$f(x) = \sum_{i=0}^{12} N_i\, x^i + \sum_{i=13}^{\infty} (N_{i-11} + N_{i-12} + N_{i-13})\, x^i$$

$$= 2\,x + 2\,x^2 + 2\,x^3 + f(x)\,(x^{11} + x^{12} + x^{13}),$$

d'où

$$f(x) = \frac{2\,x + 2\,x^2 + 2\,x^3}{1 - x^{11} - x^{12} - x^{13}}\,.$$

On savait alors que cette fraction rationnelle pouvait se décomposer sous la forme

$$f(x) = \frac{a_1}{1 - \frac{x}{x_1}} + \cdots + \frac{a_{13}}{1 - \frac{x}{x_{13}}} = \sum_{i \geqslant 0} a_1 \left(\frac{x}{x_1}\right)^i + \cdots + a_{13}\left(\frac{x}{x_{13}}\right)^i,$$

les nombres $x_1, \ldots, x_{13}$ étant les racines réelles ou complexes de l'équation $1 - x^{11} - x^{12} - x^{13} = 0$. Ainsi, on obtenait

$$N_i = \frac{a_1}{x_1^i} + \cdots + \frac{a_{13}}{x_{13}^i} \simeq \frac{a_k}{x_k^i}$$

lorsque $i \to +\infty$, où x_k est la racine de plus petit module. Autrement dit, N_i croît de manière géométrique comme $(1/x_k)^i$. Finalement, on remarque que x_k est une racine de l'équation $1 - x^{11} - x^{12} - x^{13} = 0$ si et seulement si $1/x_k$ est une racine de l'équation (2). Certains détails de la démonstration ne furent complétés finalement qu'en 1916 par Gumbel.

Süssmilch meurt à Berlin en 1767, deux ans après la parution d'une troisième édition de son traité.

Chapitre 8

Malthus et les obstacles à la croissance géométrique (1798)

Robert Malthus naît en 1766 au sud de Londres, le sixième de sept enfants. Son père, ami et admirateur de Jean-Jacques Rousseau, est son premier professeur. En 1784, le jeune Malthus est admis à l'université de Cambridge, où il étudie les mathématiques. Il obtient son diplôme en 1791 et devient *fellow* de Jesus College en 1793. En 1797, il est ordonné pasteur anglican.

Fig. 1. *Robert Malthus.*

En 1798, Malthus publie de manière anonyme un livre intitulé *An Essay on the Principle of Population, as It Affects the Future Improvement of Society, With Remarks on the Speculations of Mr Godwin, Mr Condorcet, and Other Writers.* Ce livre vient en réaction à une loi proposée en 1796 par le Premier ministre William Pitt, loi qui aide financièrement les familles nombreuses dans le but d'améliorer les conditions de vie des plus pauvres. Il s'agit en somme de contribuer au progrès de la société, idée en pleine actualité depuis les débuts de la Révolution en France et défendue notamment par Condorcet dans son *Esquisse d'un tableau historique des progrès de l'esprit humain* (1795).

Malthus note que la nouvelle loi tend à encourager un accroissement de la population sans encourager un accroissement semblable dans la production de nourriture. Il estime donc que cette loi aura l'effet contraire de celui escompté. Plus généralement, la population ayant tendance à croître toujours plus vite que la production de nourriture, une partie de la société serait condamnée à la misère, à la famine ou aux épidémies : ce sont ces fléaux qui freinent la croissance de la population et qui sont les principaux obstacles au progrès de la société. Toutes les théories promettant le progrès seraient tout simplement utopiques. En 1798, Malthus publie donc son livre. Sa thèse, qui connaît rapidement un grand retentissement, est résumée ainsi :

> [...] le pouvoir multiplicateur de la population est infiniment plus grand que le pouvoir qu'a la terre de produire la subsistance de l'homme.
>
> Si elle n'est pas freinée, la population s'accroît en progression géométrique. Les subsistances ne s'accroissent qu'en progression arithmétique. Une connaissance élémentaire des nombres montrera l'immensité du premier pouvoir de multiplication comparé au second.
>
> Les effets de ces deux pouvoirs inégaux doivent être maintenus en équilibre par le moyen de cette loi de notre nature qui fait de la nourriture une nécessité vitale pour l'homme.
>
> Ceci implique que, de la difficulté de se nourrir, résulte un frein puissant, agissant constamment sur la population. Cette difficulté existe forcément quelque part et doit nécessairement être cruellement ressentie par une grande partie de l'humanité.

Dans les éditions suivantes de son livre, Malthus propose comme solution de stabiliser la croissance de la population par la limitation volontaire des naissances en retardant l'âge de mariage.

Le livre contient dans sa première édition relativement peu de données à l'appui de l'idée que la population a tendance à croître de manière géométrique ou que la subsistance ne peut croître qu'au plus de manière arithmétique. Malthus note par exemple que la population des États-Unis a doublé tous les vingt-cinq ans au cours du XVIIIᵉ siècle. Il ne propose pas non plus véritablement de modélisation mathématique de ses thèses mais ouvre la voie aux travaux d'Adolphe Quételet et de Pierre-François Verhulst dont il sera question dans le prochain chapitre.

Après la publication de son livre, Malthus voyage avec des amis d'abord en Allemagne, en Scandinavie et en Russie, puis en France et en Suisse. Rassemblant les informations collectées au cours de ses voyages, il publie en 1803 une deuxième édition beaucoup plus étendue, cette fois sous son nom et avec un sous-titre un peu modifié : *An Essay on the Principle of Population, or a View of its Past and Present Effects on Human Happiness, With an Enquiry Into Our Prospects Respecting the Future Removal or Mitigation of the Evils Which It Occasions*. Quatre autres éditions augmentées paraissent en 1806, 1807, 1817 et 1826. En 1805, il devient professeur d'histoire et d'économie politique dans un nouvel établissement créé par la Compagnie des Indes orientales pour ses employés. Il publie aussi *An Inquiry into the Nature and Progress of Rent* (1815) et *Principles of Political Economy* (1820). En 1819, Malthus est élu à la Royal Society. En 1834, il fait également partie des membres fondateurs de la Statistical Society. Il meurt près de Bath la même année.

L'œuvre de Malthus a eu une influence importante sur le développement de la théorie de l'évolution. Charles Darwin, de retour de son voyage sur le *Beagle* en 1836, lit le livre de Malthus sur la population en 1838. Voici ce qu'il écrit dans l'introduction de son célèbre livre intitulé *L'origine des espèces au moyen de la sélection naturelle ou la préservation des races favorisées dans la lutte pour la vie*, publié en 1859 :

> *Le chapitre suivant sera consacré à l'étude de la lutte pour l'existence, à laquelle sont soumis tous les êtres organisés dans l'univers, qui est la conséquence nécessaire et inévitable de la forte raison géométrique qui régit leur accroissement et constitue l'application aux règnes animal et végétal de la doctrine de Malthus.*

Alfred Russel Wallace, qui a formulé la théorie de l'évolution en même temps que Darwin, dit également en avoir eu l'idée à la lecture du même livre de Malthus.

D'un autre côté, voici le point de vue de Karl Marx sur le succès du livre de Malthus, point de vue exprimé dans une note de son *Capital* :

> *On m'objectera peut-être l'*Essai sur la Population, *publié en 1798, mais dans sa première forme ce livre de Malthus n'est qu'une déclamation d'écolier sur des textes empruntés à Defoe, Franklin, Wallace, Sir James Steuart, Townsend, etc. Il n'y a ni une recherche ni une idée du cru de l'auteur. La grande sensation que fit ce pamphlet juvénile n'était due qu'à l'esprit de parti. La Révolution française avait trouvé des défenseurs chaleureux de l'autre côté de la Manche et « le principe de population », peu à peu élaboré dans le XVIIIe siècle, puis, au milieu d'une grande crise sociale, annoncé à coups de grosse caisse comme l'antidote infaillible des doctrines de Condorcet, etc., fut bruyamment acclamé par l'oligarchie anglaise comme l'éteignoir de toutes les aspirations au progrès humain. Malthus, tout étonné de son succès, se mit dès lors à fourrer sans cesse dans l'ancien cadre de nouveaux matériaux superficiellement compilés.*

Certes, les thèses de Malthus ne sont pas absolument originales. Par exemple, l'idée selon laquelle la population a tendance à croître de manière géométrique lui est souvent attribuée [1], alors

---

1. R. A. Fisher (cf. chap. 15 et 24) appelera « paramètre malthusien »

qu'on a vu au chapitre 3 que cette idée semble déjà familière à Euler un demi-siècle plus tôt. Cependant, Malthus a su, en la reliant de manière polémique à des problèmes concrets de législation, lui faire une importante publicité. Ironiquement, c'est dans la Chine communiste que la suggestion de Malthus de limiter les naissances verra son application la plus étonnante (cf. chap. 29).

---

le taux de croissance géométrique d'une population. Malthus mentionne pourtant dans son livre le traité de Süssmilch.

Chapitre 9

Verhulst et l'équation logistique (1838)

Pierre-François Verhulst naît en 1804 à Bruxelles. Dès 1825, il obtient un doctorat en mathématiques de l'université de Gand. Il s'intéresse également à la politique. Lors d'un séjour en Italie pour soigner sa tuberculose, il plaide sans succès en faveur d'une constitution pour les États pontificaux. Après la révolution de 1830 et l'indépendance de la Belgique, il publie un *Précis historique des troubles de Bruxelles en 1718*. En 1835, il devient professeur de mathématiques à la toute nouvelle Université libre de Bruxelles.

Fig. 1. *Pierre-François Verhulst.*

Cette même année 1835, son compatriote Adolphe Quételet, statisticien et directeur de l'observatoire à Bruxelles, publie un livre intitulé *Sur l'homme et le développement de ses facultés ou essai de physique sociale*. Quételet suggère notamment que si les populations ne peuvent croître géométriquement sur une trop longue période, c'est parce que les obstacles mentionnés par Malthus forment une « résistance » qu'il pense par analogie avec la mécanique être proportionnelle au « carré de la vitesse avec laquelle la population tend à croître ». Cette analogie, bien que sans fondement, va inspirer Verhulst.

En effet, Verhulst publie en 1838 un article intitulé *Notice sur la loi que la population poursuit dans son accroissement*. En voici quelques extraits :

> *On sait que le célèbre Malthus a établi comme principe que la population humaine tend à croître en progression géométrique, de manière à se doubler après une certaine période, par exemple, tous les vingt-cinq ans. Cette proposition est incontestable, si l'on fait abstraction de la difficulté croissante de se procurer des subsistances [...]*
>
> *L'accroissement virtuel de la population trouve donc une limite dans l'étendue et la fertilité du pays et la population tend, par conséquent, de plus en plus à devenir stationnaire.*

Verhulst se rend compte probablement que l'analogie de Quételet n'est pas raisonnable et propose l'équation suivante, dont il perçoit néanmoins le caractère un peu arbitraire, pour l'évolution de la population $P(t)$:

$$\frac{dP}{dt} = r\, P\left(1 - \frac{P}{K}\right). \tag{1}$$

Lorsque la population $P(t)$ est encore petite par rapport au paramètre K, on a l'équation approchée

$$\frac{dP}{dt} \simeq r\, P,$$

dont la solution est $P(t) \simeq P(0)\, e^{r\,t}$, c'est-à-dire une croissance exponentielle [1]. Au fur et à mesure que $P(t)$ se rapproche de K, la

---

1. On parle de croissance géométrique dans les modèles à temps discret

croissance ralentit ; elle deviendrait négative si P(t) dépassait K. Pour obtenir l'expression exacte de la solution de l'équation (1), il suffit de procéder comme Daniel Bernoulli pour l'équation (5) du chapitre 5.

On divise donc l'équation (1) par P^2 et on pose d'abord $p = 1/$P, ce qui donne $dp/dt = -r\,p + r/$K. Puis on pose $q = p - 1/$K, ce qui donne $dq/dt = -r\,q$ et $q(t) = q(0)\,e^{-r\,t} = (1/P(0) - 1/K)\,e^{-r\,t}$. On en déduit $p(t)$ puis P(t).

Finalement, on trouve après réarrangement

$$\text{P}(t) = \frac{\text{P}(0)\,e^{rt}}{1 + \text{P}(0)\,(e^{rt} - 1)/\text{K}} \,, \qquad (2)$$

et la population totale croît progressivement de P(0) jusqu'à une limite qui est K, valeur qu'elle n'atteint que pour $t \to +\infty$ (fig. 2). Sans préciser comment il estime les paramètres inconnus

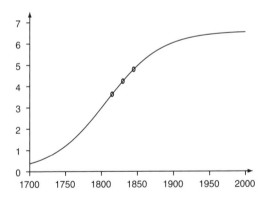

Fig. 2. *Croissance de la population de la Belgique (en millions) suivant l'équation logistique. Les données correspondent aux années 1815, 1830 et 1845. Les valeurs des paramètres sont celles de l'article de 1845.*

et de croissance exponentielle dans les modèles à temps continu, mais il s'agit essentiellement de la même chose.

r et K, Verhulst compare les résultats que donne sa formule avec les données pour la population de la France de 1817 à 1831, pour celle de la Belgique de 1815 à 1833, pour celle du comté d'Essex en Angleterre de 1811 à 1831 et pour celle de la Russie de 1796 à 1827. L'accord s'avère assez bon.

En 1840, Verhulst devient professeur à l'École royale militaire de Bruxelles. L'année suivante, il publie un *Traité élémentaire des fonctions elliptiques* qui lui vaut d'être élu à l'Académie royale de Belgique. En 1845, il poursuit son étude sur la population avec un article intitulé *Recherches mathématiques sur la loi d'accroissement de la population*. Il revient d'abord sur la remarque de Malthus selon laquelle la population des États-Unis aurait doublé tous les 25 ans (tableau 1). Si l'on calcule le rapport

année	population
1790	3 929 827
1800	5 305 925
1810	7 239 814
1820	9 638 131
1830	12 866 020
1840	17 062 566

Tab. 1. *Recensements officiels de la population des États-Unis.*

entre la population de l'année $n + 10$ et la population de l'année n, on trouve dans l'ordre : 1,350, 1,364, 1,331, 1,335 et 1,326, ce qui est assez constant. En moyenne, la population est ainsi multipliée par 1,34 tous les 10 ans donc par $1,34^{25/10} \simeq 2,08$ tous les 25 ans. La population des États-Unis a donc bien tendance à doubler tous les 25 ans, comme Malthus l'avait constaté près d'un demi-siècle plus tôt. Cependant, Verhulst remarque :

> *Nous n'insisterons pas d'avantage sur l'hypothèse de la progression géométrique, attendu qu'elle ne se réalise que dans dans des circonstances tout à fait exceptionnelles ; par*

exemple, quand un territoire fertile et d'une étendue en quelque sorte illimitée se trouve habité par un peuple d'une civilisation très avancée, comme celle des premiers colons des États-Unis.

Dans la suite du mémoire, Verhulst revient sur l'équation (1), qu'il nomme « logistique ». Il remarque que la courbe $P(t)$ croît en étant d'abord incurvée vers le haut (c'est-à-dire convexe) tant que $P(t) < K/2$, puis continue à croître jusqu'à K mais en étant incurvée vers le bas (c'est-à-dire concave) dès que $P(t) > K/2$. Ainsi, la courbe a la forme d'un S un peu étiré (fig. 2).

En effet, $d^2P/dt^2 = r\,(1 - 2\,P/K)\,dP/dt$. Donc $d^2P/dt^2 > 0$ si $P < K/2$ et $d^2P/dt^2 < 0$ si $P > K/2$.

Il précise également comment les paramètres r et K peuvent être estimés par exemple à partir de la population $P(t)$ de trois années différentes. Si P_0 est la population à $t = 0$, P_1 celle à $t = T$ et P_2 celle à $t = 2\,T$, alors un petit calcul partant de l'équation (2) montre que

$$K = P_1 \frac{P_0\,P_1 + P_1\,P_2 - 2\,P_0\,P_2}{P_1^2 - P_0\,P_2},$$

$$r = \frac{1}{T}\,\log\!\left[\frac{1/P_0 - 1/K}{1/P_1 - 1/K}\right].$$

Partant des estimations de la population de la Belgique pour les années 1815, 1830 et 1845 (respectivement 3,627 millions, 4,247 millions et 4,801 millions d'habitants), il obtient K = 6,584 millions et $r = 2{,}62\%$ par an. De là, en réutilisant l'équation (2), il prédit que la population de la Belgique sera 4,998 millions au début de l'année 1851 (il écrit en 1845) et 6,064 millions au début de l'année 1900 (fig. 2). Verhulst poursuit par une étude similaire pour la France. Il obtient K = 39,685 millions et $r = 3{,}2\%$ par an.

Comme les populations de la Belgique et de la France ont entre-temps largement dépassé ces valeurs de K, on voit bien que l'équation logistique ne peut être un modèle « raisonnable » que pour des périodes de quelques décennies comme dans le premier article de Verhulst en 1838 mais guère plus.

En 1847 paraît un *Deuxième mémoire sur la loi d'accroissement de la population* dans lequel Verhulst abandonne l'équation logistique et lui préfère une autre équation qui peut s'écrire sous la forme

$$\frac{d\text{P}}{dt} = r\left(1 - \frac{\text{P}}{\text{K}}\right)$$

et qu'il pense être « valable » dès que la population P(t) est au-dessus d'une certaine valeur minimale. La solution est

$$\text{P}(t) = \text{K} + (\text{P}(0) - \text{K})\, e^{-rt/\text{K}}\,.$$

Utilisant les mêmes données démographiques pour la Belgique, Verhulst estime à nouveau les paramètres r et K. Il trouve cette fois K $=$ 9,4 millions pour la population maximale. On voit à quel point les résultats peuvent dépendre du choix d'un modèle !

Verhulst devient président de l'Académie royale de Belgique en 1848 mais meurt l'année suivante à Bruxelles. Après une longue période d'oubli, l'équation logistique sera redécouverte en 1920 par Raymond Pearl et Lowell Reed, de l'université Johns Hopkins, dans le cadre d'un travail de modélisation de l'évolution de la population des États-Unis (dont la croissance s'est alors ralentie). Elle inspirera dès lors de nombreuses recherches (cf. chap. 17, 23 et 28).

Chapitre 10

Bienaymé et l'extinction des familles (1845)

Irénée-Jules Bienaymé naît en 1796 à Paris. Il fait ses études au lycée Louis-le-Grand et participe comme volontaire à la défense militaire de Paris en 1814. En 1815, il entre à l'École polytechnique puis devient assistant en mathématiques à l'académie militaire de Saint-Cyr. En 1820, il rejoint l'administration des finances, est rapidement promu inspecteur, puis inspecteur général en 1834. Influencé par la *Théorie analytique des probabilités* de Laplace, Bienaymé publie des articles sur les applications du calcul des probabilités [1] : statistiques démographiques et médicales (mortalité infantile, nombre des naissances, espérance de vie), probabilité d'une erreur judiciaire, calcul des assurances, problème de représentativité des systèmes électoraux...

En 1845, Bienaymé écrit une courte note intitulée *De la loi de multiplication et de la durée des familles*, qui est publiée dans un journal peu connu, celui de la Société philomatique de Paris. À l'origine de cette note se trouve un livre en anglais, *The True Law of Population*, paru en 1842. L'auteur, Thomas Doubleday, y affirme que les familles des classes aisées auraient une plus grande propension à disparaître par manque de descendant que les familles des classes les plus pauvres. Il s'appuie en particulier sur des données de Malthus concernant les familles bourgeoises du canton de Berne en Suisse. La thèse de Doubleday trouve un certain écho en France. C'est ainsi que Louis-François Benoiston de Châteauneuf, un membre de l'Académie des sciences morales et politiques, publie à son tour un mémoire intitulé *Sur la durée*

---

1. Son nom reste surtout attaché de nos jours à une certaine inégalité parfois dite « de Bienaymé-Tchebychev ».

Fig. 1. *Irénée-Jules Bienaymé.*

des familles nobles de France. Émile Littré, connu plus tard pour
son *Dictionnaire de la langue française*, cite la thèse de Doubleday en exemple de loi sociale dans un texte d'introduction à la
philosophie positiviste d'Auguste Comte en 1845.

   C'est dans ce contexte que Bienaymé se propose d'expliquer
comment il se fait que la population d'un pays a en moyenne
tendance à croître de manière géométrique alors qu'un grand
nombre de familles s'éteignent en même temps. Pour aborder
le problème, il considère le cas simplifié où tous les hommes
auraient les mêmes probabilités d'avoir 0, 1, 2, 3... fils qui
parviennent à l'âge adulte. Il se demande quelle est la probabilité
pour qu'un homme ait encore des descendants qui portent son
nom au bout de n générations. Si le nombre moyen de fils est
inférieur à 1, il est clair que cette probabilité va tendre vers
0 quand n croît. Bienaymé remarque que la même conclusion
reste valide [2] si le nombre moyen de fils est égal à 1, par exemple

---

   2. Sauf si chaque homme a exactement un fils.

s'il y a une probabilité 1/2 d'avoir zéro fils et une probabilité 1/2 d'en avoir deux (fig. 2). Mais dans ce cas, la probabilité d'avoir encore des descendants à la génération *n* tend moins rapidement vers 0 : dans l'exemple, elle serait ainsi encore de 5% à la 35ᵉ génération, c'est-à-dire au bout de 11 à 12 siècles si l'on compte trois générations par siècle [3]. Bienaymé remarque enfin que si le nombre moyen de fils est supérieur à 1, l'extinction de la lignée n'est plus certaine mais conserve une certaine probabilité qu'il est possible de calculer en résolvant une certaine équation algébrique.

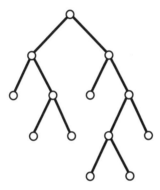

Fig. 2. *Exemple d'arbre généalogique descendant. L'ancêtre se trouve tout en haut. À chaque génération, les hommes ont une probabilité 1/2 de ne pas avoir de fils et une probabilité 1/2 d'en avoir deux.*

La note de Bienaymé ne contient pas d'autre explication. En 1847, son ami Antoine-Augustin Cournot inclura les détails des calculs dans un livre intitulé *De l'origine et des limites de la correspondance entre l'algèbre et la géométrie*. Malheureusement, la note de Bienaymé et le passage correspondant du livre de Cournot passeront complètement inaperçus à l'époque. La note ne sera finalement remarquée que dans les années 1970, et

---

3. Comme on le verra au chapitre 12, cette probabilité est égale à $1 - x_{35}$, avec $x_{n+1} = \frac{1}{2} + \frac{1}{2} x_n^2$ et $x_0 = 0$.

le passage du livre encore vingt ans plus tard ! Entre-temps, la méthode sera redécouverte par d'autres et le sujet connaîtra des développements considérables. On reviendra plus en détail sur ce problème aux chapitres 12, 15 et 21.

Quant à Bienaymé, il prend sa retraite de l'administration des finances en 1848 et devient quelque temps professeur de probabilités à la Sorbonne. En 1852, il publie un mémoire sur la « méthode des moindres carrés ». Il est élu la même année à l'Académie des sciences, où il sera à de nombreuses reprises rapporteur pour le prix de statistiques. Par la suite, il travaille comme conseiller pour le gouvernement sous Napoléon III, tout en continuant de contribuer aux aspects plus théoriques du calcul des probabilités. En 1875, il est président de la toute nouvelle Société mathématique de France. Il meurt à Paris en 1878.

Chapitre 11

Mendel et l'hérédité (1865)

Johann Mendel naît en 1822 en Moravie, qui fait alors partie de l'Empire austro-hongrois[1]. Il est le deuxième enfant d'un couple de paysans pauvres. Bon élève au lycée mais de constitution fragile, Mendel préfère poursuivre ses études plutôt que succéder à son père à la ferme. N'ayant pas les moyens de continuer à l'université, il entre finalement en 1843 à l'abbaye de Saint-Thomas à Brünn[2], où il prend le nom de Gregor. Il y étudie la théologie mais suit aussi des cours sur l'agriculture. En 1848, il est ordonné prêtre. Il enseigne quelque temps dans un lycée mais échoue aux examens pour devenir professeur titulaire. À partir de 1851, grâce à l'appui de son supérieur, il peut néanmoins aller continuer ses études à l'université de Vienne où il suit les cours de physique de Christian Doppler[3] mais aussi des cours de mathématiques, de chimie et de sciences naturelles. En 1853, il rentre à Brünn et enseigne la physique et les sciences naturelles dans un lycée technique.

Entre 1856 et 1863, Mendel mène des expériences sur des centaines de plantes dans le jardin de son abbaye. En 1865, il présente ses résultats à deux réunions de la Société des sciences naturelles de Brünn, dont il est membre. Son mémoire en allemand, intitulé *Essais sur l'hybridation des plantes*, est publié l'année suivante dans le journal de la société. Mendel explique comment il a été amené à étudier les variations chez le pois, une plante qui se reproduit naturellement par auto-fécondation et

---

1. Maintenant en République tchèque.
2. Brno en tchèque.
3. Connu pour « l'effet Doppler ».

Fig. 1. *Gregor Mendel.*

dont les graines peuvent se présenter sous des formes différentes
facilement identifiables : graines lisses ou ridées, graines jaunes
ou vertes, etc. Il observe qu'en croisant une plante issue d'une
lignée à graines lisses avec une plante issue d'une lignée à graines
ridées, il obtient toujours des graines lisses (les hybrides). Il qua-
lifie le caractère « graines lisses » de dominant et le caractère
« graines ridées » de récessif. Il montre de même que le caractère
« graines jaunes » est dominant et le caractère « graines vertes »
récessif.

   Mendel observe alors que l'auto-fécondation des plantes
issues des graines hybrides donne de nouvelles graines (la première génération) dont certaines présentent le caractère dominant alors que d'autres présentent le caractère récessif, et ce
dans une proportion semblant dépendre du hasard. De plus, il
constate en répétant l'expérience un grand nombre de fois qu'il
obtient en moyenne à peu près trois fois plus de graines avec
le caractère dominant que de graines avec le caractère récessif.
En effet, il obtient dans une première expérience un total de
5 474 graines lisses et 1 850 graines ridées, soit un rapport égal

à 2,96. Une deuxième expérience donne un total de 6 022 graines jaunes et 2 001 graines vertes, soit un rapport[4] égal à 3,01.

Mendel remarque aussi que parmi les plantes issues des graines de la première génération avec le caractère dominant, le nombre de celles qui donnent par auto-fécondation à la fois des graines avec le caractère dominant et des graines avec le caractère récessif est environ le double du nombre de celles qui ne donnent par auto-fécondation que des graines avec le caractère dominant. Ainsi parmi 565 plantes issues de graines lisses de la première génération, 372 donnent à la fois des graines lisses et des graines ridées alors que 193 ne donnent que des graines lisses ; le rapport est égal à 1,93. De même, parmi 519 plantes issues de graines jaunes de la première génération, 353 donnent à la fois des graines jaunes et des graines vertes alors que 166 ne donnent que des graines jaunes ; le rapport est égal à 2,13.

Mendel a alors l'idée originale que le caractère d'une graine résulte de l'association de deux facteurs, chacun de ces facteurs pouvant être soit dominant (noté A), soit récessif (noté *a*). Il y a donc trois combinaisons possibles : AA, A*a* et *aa*. Les graines qui sont AA ou A*a* présentent le caractère dominant A. Les graines qui sont *aa* présentent le caractère récessif *a*. Mendel suppose de plus que lors de la fécondation, le pollen et les ovules (les gamètes) ne transmettent qu'un seul des deux facteurs, chacun avec une probabilité 1/2.

Ainsi, le croisement de lignées pures AA et *aa* ne donne que des hybrides A*a* qui présentent le caractère dominant A. Les gamètes d'un hybride A*a* transmettent donc A avec une probabilité 1/2 et *a* avec une probabilité 1/2. L'auto-fécondation d'une plante issue d'une graine hybride A*a* donnera AA avec

---

4. Comme le fera remarquer R. A. Fisher (cf. chap. 15), la probabilité d'arriver à des résultats expérimentaux aussi proches de la valeur théorique est assez faible. Mendel a sans doute « arrangé » un peu ses données. Ainsi dans la deuxième expérience qui concerne $n = 6\ 022 + 2\ 001 = 8\ 023$ graines, la probabilité que le rapport s'écarte de 3 de moins de 0,01 est seulement d'environ 10%.

une probabilité 1/4, A*a* avec une probabilité 1/2 et *aa* avec une
probabilité 1/4, comme le montre le tableau 1.

facteur probabilité	A 1/2	*a* 1/2
A 1/2	AA 1/4	A*a* 1/4
a 1/2	A*a* 1/4	*aa* 1/4

Tab. 1. *Résultats possibles de l'autofécondation d'un hybride A*a* avec leurs
probabilités en fonction des facteurs transmis par les gamètes mâles (en
lignes) et par les gamètes femelles (en colonnes).*

Mendel note que les proportions AA : A*a* : *aa*, qui sont
1 : 2 : 1, peuvent aussi s'obtenir par le « calcul » formel
$(A + a)^2 = AA + 2\,Aa + aa$. Comme les graines AA et A*a*
présentent toutes le caractère A et comme seules les graines *aa*
présentent le caractère *a*, il y a bien en moyenne trois fois plus
de graines avec le caractère A que de graines avec le caractère *a*.
De plus, il y a en moyenne deux fois plus de graines A*a* que de
graines AA. L'auto-fécondation des plantes issues des graines
A*a* donne effectivement des graines AA (avec le caractère A) et
des graines A*a* (avec le caractère *a*). Quant à l'auto-fécondation
des plantes issues des graines AA, elle ne donne que des graines
AA avec le caractère A. Toutes les observations sont donc bien
expliquées.

Mendel s'intéresse également aux générations suivantes. Partant de N graines hybrides A*a* et supposant pour simplifier que
chaque plante produit par auto-fécondation quatre nouvelles
graines, il calcule que le nombre moyen de graines $(AA)_n$, $(Aa)_n$
et $(aa)_n$ à la génération n est donné par le tableau 2, où par
commodité on a divisé le résultat par N. Ces nombres sont simplement obtenus par les formules

$$(AA)_{n+1} = 4\,(AA)_n + (Aa)_n \tag{1}$$

$$(Aa)_{n+1} = 2\,(Aa)_n \tag{2}$$

$$(aa)_{n+1} = 4\,(aa)_n + (Aa)_n \tag{3}$$

n	0	1	2	3	4	5
$(AA)_n$	0	1	6	28	120	496
$(Aa)_n$	1	2	4	8	16	32
$(aa)_n$	0	1	6	28	120	496
total	1	4	16	64	256	1024

Tab. 2. *Générations successives.*

qui traduisent le fait que AA donne par auto-fécondation quatre graines AA, que *aa* donne quatre graines *aa* et que A*a* donne en moyenne une graine AA, deux graines A*a* et une graine *aa*. Mendel remarque d'ailleurs que

$$(AA)_n = (aa)_n = 2^{n-1}(2^n - 1) \quad \text{et} \quad (Aa)_n = 2^n.$$

En effet, il résulte de l'équation (2) et de la condition initiale $(Aa)_0 = 1$ que $(Aa)_n = 2^n$. Remplaçant ceci dans l'équation (1), on obtient la relation $(AA)_{n+1} = 4(AA)_n + 2^n$. On se rend compte facilement que $(AA)_n = c\,2^n$ est une solution particulière lorsque $c = -1/2$. L'équation « homogène » $(AA)_{n+1} = 4(AA)_n$ a pour solution générale $(AA)_n = C\,4^n$. Finalement, la suite $(AA)_n = C\,4^n - 2^{n-1}$ vérifie la condition initiale $(AA)_0 = 1$ lorsque $C = 1/2$. Quant à la suite $(aa)_n$, elle vérifie la même relation de récurrence et la même condition initiale que $(AA)_n$. C. Q. F. D.

Ainsi, la proportion d'hybrides A*a* dans la population totale, qui vaut $2^n/4^n = 1/2^n$, est divisée par deux à chaque génération s'il y a auto-fécondation.

Le mémoire de Mendel passe totalement inaperçu à son époque. Par la suite, Mendel essaie des expériences semblables avec d'autres espèces végétales, publie plusieurs articles sur la météorologie et s'intéresse aussi à l'apiculture. Devenu abbé en 1868, il est de plus en plus occupé par les problèmes administratifs. Il meurt en 1884.

Ce n'est qu'en 1900 que le travail de Mendel est redécouvert indépendamment et presque simultanément par Hugo De Vries à Amsterdam, Carl Correns à Tübingen et Erich von Tschermak à Vienne, inaugurant ainsi une nouvelle ère dans ce qui s'appelle aujourd'hui la génétique.

Galton, Watson et l'extinction des familles (1873)

Francis Galton naît en 1822, la même année que Mendel, près de Birmingham en Angleterre. Il est le plus jeune de sept enfants. Son père est un riche banquier ; par sa mère, il est cousin de Charles Darwin. À partir de 1838, Galton étudie la médecine à l'hôpital de Birmingham puis à Londres. L'été 1840, il fait un premier long voyage à travers l'Europe jusqu'à Istambul. À son retour, il étudie au Trinity College de l'université de Cambridge pendant quatre ans, en particulier les mathématiques. Mais en 1844, son père meurt en lui laissant une fortune importante. Galton abandonne alors l'idée de devenir médecin. Il voyage en Égypte, au Soudan et en Syrie. Pendant les quelques années qui suivent, il mène une vie oisive occupée par la chasse, des sorties en ballon ou en bateau et par une tentative d'amélioration du télégraphe électrique. En 1850, il monte une expédition d'exploration dans le Sud-Ouest de l'Afrique (actuellement la Namibie). À son retour en 1852, il est élu à la Royal Geographical Society et suit avec attention le développement des expéditions en Afrique de l'Est à la recherche des sources du Nil. Il s'installe à Londres et écrit un livre de conseils pour les voyageurs qui obtient un grand succès. En 1856, il est élu à la Royal Society. Il s'intéresse alors à la météorologie ; c'est lui qui invente le mot « anticyclone ». Stimulé par la publication en 1859 par son cousin Charles Darwin de *L'origine des espèces*, Galton se tourne vers l'étude de l'hérédité. Il publie *Hereditary Genius* en 1869, qui défend la thèse de la transmission héréditaire des capacités intellectuelles.

En 1873, Alphonse de Candolle, un botaniste franco-suisse,

Fig. 1. *Francis Galton (à gauche) et Henry William Watson (à droite).*

publie un livre intitulé *Histoire des sciences et des savants depuis deux siècles*, dans lequel il fait les remarques suivantes :

> *Au milieu des renseignements précis et des opinions très sensées de MM. Benoiston de Châteauneuf, Galton et autres statisticiens, je n'ai pas rencontré la réflexion bien importante qu'ils auraient dû faire de l'extinction inévitable des noms de famille. Évidemment tous les noms doivent s'éteindre [...] Un mathématicien pourrait calculer comment la réduction des noms ou titres aurait lieu, d'après la probabilité des naissances toutes féminines ou toutes masculines ou mélangées et la probabilité d'absence de naissances dans un couple quelconque.*

En somme, il s'agit du même problème que celui étudié par Bienaymé en 1845. Mais Candolle croit que toutes les familles sont condamnées à l'extinction. Ayant lu ce passage et ne connaissant pas le travail de Bienaymé, Galton pose alors le problème dans un numéro du journal *Educational Times* sous la forme suivante :

> *Problème 4 001 : Une grande nation, parmi laquelle nous*

> *ne considérerons que les hommes adultes au nombre de* N
> *et qui portent des noms de famille tous différents, colonise*
> *un district. La loi de population est telle qu'à chaque gé-*
> *nération, a_0 pour-cent des hommes adultes ont zéro fils*
> *atteignant l'âge adulte ; a_1 pour-cent en ont un ; a_2 pour-*
> *cent en ont deux ; et ainsi de suite jusqu'à a_5 pour-cent qui*
> *en ont cinq.*
>
> *Trouver (1) quelle proportion des noms de famille sera*
> *éteinte après r générations ; et (2) combien de fois un même*
> *nom de famille sera porté par m personnes.*

Ne recevant pas de réponse satisfaisante et n'y parvenant pas lui-même, Galton demande à son ami mathématicien Henry William Watson d'essayer de résoudre le problème.

Watson est né à Londres en 1827, d'un père officier de la marine britannique. Il a étudié d'abord à King's College à Londres, puis s'est orienté vers les mathématiques au Trinity College de l'université de Cambridge de 1846 à 1850, quelques années après Galton. Il a été successivement *fellow* de Trinity College, maître assistant à la City of London School, lecteur en mathématiques à King's College, puis professeur de mathématiques à Harrow School entre 1857 à 1865. Passionné d'alpinisme, il a fait partie en 1855 d'une expédition ayant atteint le sommet du Mont Rose en Suisse. Il a été ordonné diacre en 1856, puis prêtre anglican en 1858. À partir de 1865 et jusqu'à sa retraite, il est recteur de Berkswell-Barton près de Coventry, un poste qui lui laisse assez de temps pour ses recherches.

Ensemble, Galton et Watson publient donc en 1874 un article intitulé *On the probability of extinction of families* dans le *Journal of the Royal Anthropological Institute*. Ils supposent que la probabilité p_k pour chaque homme d'avoir k enfants mâles ($k = 0, 1, 2, \ldots, q$) est fixe. Tous les nombres p_k sont tels que $0 \leqslant p_k \leqslant 1$. De plus, $p_0 + p_1 + \cdots + p_q = 1$, comme il se doit pour des probabilités. Supposons que la génération 0 soit constituée d'un seul homme. La probabilité que la génération 1 soit composée de s descendants mâles est égale à p_s. Suivant une idée déjà bien connue à son époque, Watson sait que les calculs sont beaucoup plus simples dans ce type de problème si l'on introduit le polynôme

$$f(x) = p_0 + p_1 x + p_2 x^2 + \cdots + p_q x^q.$$

De même, soit $f_n(x)$ le polynôme dont le coefficient de x^s est la probabilité d'avoir s descendants mâles à la génération n partant d'un seul homme à la génération 0. Notons que $f_1(x) = f(x)$.

Dans le cas particulier où il y a s hommes à la génération 1, la probabilité qu'il y ait t descendants mâles à la génération n est égale au coefficient de x^t dans le développement de l'expression $f_{n-1}(x)^s$ suivant les puissances de x.

En effet, la probabilité que t_1 hommes à la génération n descendent de l'aîné des s hommes de la génération 1 est égale au coefficient de x^{t_1} dans $f_{n-1}(x)$. De même pour les autres hommes de la génération 1 : ainsi, la probabilité que t_s hommes à la génération n descendent du benjamin des s hommes de la génération 1 est égale au coefficient de x^{t_s} dans $f_{n-1}(x)$. La probabilité d'avoir t hommes à la génération n est égale à la somme pour $t_1 + \cdots + t_s = t$ des produits des probabilités ci-dessus, qui est bien le coefficient de x^t dans le développement du produit $f_{n-1}(x) \times \cdots \times f_{n-1}(x)$ (s fois) !

Dans le cas général, la probabilité qu'il y ait t descendants mâles à la génération n est donc égale au coefficient de x^t dans le développement de l'expression

$$p_0 + p_1 f_{n-1}(x) + p_2 f_{n-1}(x)^2 + \cdots + p_q f_{n-1}(x)^q.$$

Autrement dit,
$$f_n(x) = f(f_{n-1}(x)).$$

Comme $f_1(x) = f(x)$, on voit donc que

$$f_2(x) = f(f(x)), \quad f_3(x) = f(f(f(x))) \cdots$$

En particulier, la probabilité x_n d'extinction de la famille à la génération n, qui est la probabilité qu'il y ait 0 descendant mâle, est donnée par $f_n(0)$. Donc $x_0 = 0$ et

$$x_n = f(x_{n-1}).$$

Comme exemple, Watson propose d'abord

$$f(x) = (1 + x + x^2)/3,$$

c'est-à-dire $q = 3$ et $p_0 = p_1 = p_2 = 1/3$. Alors la probabilité x_n d'extinction de la famille à la génération n est :

$$x_1 = f(0) \simeq 0{,}333,$$
$$x_2 = f(x_1) \simeq 0{,}481,$$
$$x_3 = f(x_2) \simeq 0{,}571,$$
$$x_4 = f(x_3) \simeq 0{,}641,$$
$$x_5 = f(x_4) \simeq 0{,}656\ldots$$

Watson suggère sans véritablement le démontrer que la suite (x_n) converge vers 1 quand n tend vers l'infini, bien qu'assez lentement. La figure 2a, qui n'est pas tracée dans l'article original, tend à montrer que c'est effectivement le cas : la famille finira par s'éteindre. Watson remarque cependant que chaque homme a en moyenne

$$m = p_1 + 2\,p_2 + \cdots + q\,p_q$$

enfants mâles et que $m = 1$ dans l'exemple. Ainsi, si au départ on considère N hommes portant des noms de famille différents et dont la descendance obéit à la loi de probabilités ci-dessus, on pourrait croire plutôt que la population totale resterait à peu près constante au fil des générations puisque $m = 1$. Et pourtant, chaque famille finira par s'éteindre et la population aussi !

Comme deuxième exemple, Watson propose le « binôme »

$$f(x) = (3 + x)^5/4^5,$$

pour lequel $q = 5$ et

$p_0 = 1 \times 3^5/4^5 \simeq 0{,}237$ $p_3 = 10 \times 3^2/4^5 \simeq 0{,}088$
$p_1 = 5 \times 3^4/4^5 \simeq 0{,}396$ $p_4 = 5 \times 3^1/4^5 \simeq 0{,}015$
$p_2 = 10 \times 3^3/4^5 \simeq 0{,}264$ $p_5 = 1 \times 3^0/4^5 \simeq 0{,}001$.

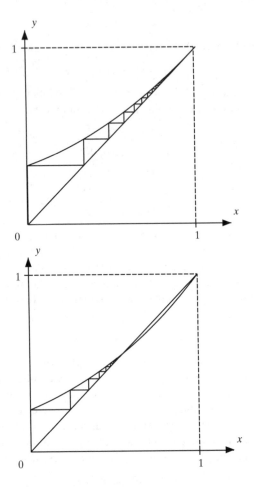

Fig. 2. *Graphe de la fonction $y = f(x)$ et de la bissectrice $y = x$. La probabilité d'extinction $x_n = f(x_{n-1})$ à la génération n est la hauteur de la n-ième « marche de l'escalier ». En haut : $f(x) = (1 + x + x^2)/3$. En bas : $f(x) = (3 + x)^5/4^5$.*

Dans ce cas, la relation de récurrence $x_n = f(x_{n-1})$ donne successivement

0,237   0,347   0,410   0,450   0,478   0,497   0,511...

Watson se rend bien compte que si x_n tend vers une limite x_∞ quand n tend vers l'infini, alors x_∞ doit être une solution de l'équation

$$x_\infty = f(x_\infty).$$

Mais essayant de résoudre cette équation lorsque plus généralement $f(x)$ est de la forme $f(x) = (a + b\,x)^q/(a + b)^q$ (l'exemple présent correspond à $a = 3$, $b = 1$ et $q = 5$), il semble faire une erreur de recopie d'une ligne à l'autre et conclut à tort que $x_\infty = 1$ est l'unique solution possible, c'est-à-dire que l'extinction de la famille est certaine. Or si $x_\infty = 1$ est effectivement toujours une solution de l'équation (puisque $f(1) = p_0 + p_1 + \cdots + p_q = 1$ par définition), ce n'est pas toujours la seule. La figure 2b montre notamment que ce n'est pas le cas dans l'exemple qu'il est en train d'étudier !

Watson remarque d'ailleurs pour ce deuxième exemple que chaque homme a en moyenne $m = 1,25$ enfants mâles. La population devrait donc avoir tendance à croître de manière exponentielle puisque $m > 1$. Il ne se rend pas compte que c'est incompatible avec sa conclusion que toutes les familles sont condamnées à l'extinction, conclusion qu'il conjecture être valable quelle que soit la fonction $f(x)$, comme Candolle l'avait suggéré dans son livre.

Galton poursuit l'étude statistique des familles avec un livre intitulé *English Men of Science, their Nature and Nurture*, qui examine la généalogie des membres de la Royal Society. Il s'intéresse aussi à l'anthropométrie, la mesure du corps humain. Il profite d'une exposition internationale en 1884 à Londres pour recueillir des données sur un grand nombre de personnes. Ses résultats sont publiés en 1889 dans un livre intitulé *Natural Inheritance*, dans lequel est également reproduit en appendice l'article écrit en collaboration avec Watson. Dans ce livre sont introduits aussi de nouveaux indicateurs statistiques, les « centiles » et les « quartiles », ainsi que le mot « eugénisme », c'est-à-dire l'amélioration de l'espèce humaine du point de vue des caractères héréditaires. À partir de 1888, Galton développe la technique de reconnaissance des empreintes digitales qui sera adoptée quelques années plus tard par la police britannique. Il continue à étudier les rôles respectifs de la transmission héréditaire et de l'influence du milieu sur les caractéristiques physiques ou intellectuelles avec des enquêtes sur des jumeaux, sur la taille des graines de pois cultivés pendant plusieurs générations ou sur la couleur de souris élevées en laboratoire. Cela le conduit à la notion de « coefficient de corrélation » entre deux variables. En 1904 est créé le Galton Laboratory au sein de University College à Londres. Galton est anobli en 1909 et meurt en 1911.

Quant à Watson, il publie encore plusieurs livres, notamment un traité sur la théorie cinétique des gaz en 1876 reprenant les travaux de Maxwell et Boltzmann et un traité sur la théorie mathématique de l'électricité et du magnétisme en deux volumes (1885 et 1889). Il est élu à la Royal Society en 1881 et meurt à Brighton en 1903.

En 1924, dans le deuxième volume de la biographie qu'il consacre à Galton, Karl Pearson résumera le travail sur l'extinction des familles sans y discerner l'erreur. Cette erreur, qui aurait pu être évitée si le travail de Bienaymé avait été connu, ne sera finalement décelée qu'en 1930 (cf. chap. 21).

Chapitre 13

La loi de Hardy-Weinberg (1908)

Godfrey Harold Hardy naît en 1877 dans le comté de Surrey en Angleterre ; ses parents sont enseignants. Il étudie au Trinity College de l'université de Cambridge à partir de 1896, se passionne pour l'analyse mathématique et excelle aux examens. Il devient *fellow* de Trinity College en 1900, puis lecteur en mathématiques en 1906. Après un premier livre intitulé *The Integration of Functions of a Single Variable* paru en 1905, il publie en 1908 *A Course of Pure Mathematics* qui connaîtra de nombreuses éditions et sera traduit dans plusieurs langues.

Fig. 1. *G. H. Hardy.*

À cette époque, la redécouverte des travaux de Mendel n'est pas sans susciter quelques doutes. Certains se demandent en particulier pourquoi finalement le caractère dominant ne devient pas de plus en plus fréquent au cours des générations. C'est alors que le biologiste anglais Reginald Punnett pose la question à Hardy, avec qui il joue au cricket à Cambridge. Hardy propose sa solution dans un article intitulé *Mendelian proportions in a mixed population*, qui paraît dans la revue *Science* en 1908. Pour simplifier l'analyse, il imagine la situation où dans une très grande population, le choix du partenaire sexuel se fait au hasard. C'est ce que les spécialistes appellent la « panmixie ». De plus, il se limite au cas de deux « allèles » A et a, A étant dominant et a récessif. Pour la génération n, il note p_n la fréquence du « génotype » AA, $2q_n$ celle de Aa et r_n celle de aa, de sorte que $p_n + 2q_n + r_n = 1$. Hardy suppose de plus qu'aucun de ces génotypes ne conduit à un excès de mortalité ou à une baisse de la fécondité par rapport aux deux autres. Les fréquences à la génération $n + 1$ s'obtiennent aisément en remarquant qu'un individu de la génération n pris au hasard transmet l'allèle A avec une probabilité $p_n + q_n$ (soit son génotype est AA et l'allèle A est transmis à coup sûr, soit son génotype est Aa et l'allèle A est transmis avec une chance sur deux). De même, l'allèle a est transmis avec une probabilité $q_n + r_n$. On peut alors construire le tableau 1 semblable à celui du chapitre 11.

allèle fréquence	A $p_n + q_n$	a $q_n + r_n$
A $p_n + q_n$	AA $(p_n + q_n)^2$	Aa $(p_n + q_n)(q_n + r_n)$
a $q_n + r_n$	Aa $(p_n + q_n)(q_n + r_n)$	aa $(q_n + r_n)^2$

Tab. 1. *Calcul de la fréquence des génotypes de la génération $n + 1$ à partir de la fréquence des allèles chez les parents (en lignes la mère, en colonnes le père).*

Les fréquences des génotypes AA, Aa et aa à la génération $n + 1$ sont respectivement p_{n+1}, $2q_{n+1}$ et r_{n+1}. On trouve donc que

$$p_{n+1} = (p_n + q_n)^2 \qquad (1)$$

$$q_{n+1} = (p_n + q_n)(q_n + r_n) \qquad (2)$$

$$r_{n+1} = (q_n + r_n)^2 . \qquad (3)$$

Hardy cherche alors à quelle condition les fréquences des génotypes peuvent rester constantes au fil des générations en étant égales à (p, q, r) : on dit dans ce cas que la population est à l'équilibre. Comme par définition $p + 2q + r = 1$, on voit qu'en fait les trois équations ci-dessus deviennent équivalentes à

$$q^2 = p\, r.$$

Par exemple, la première équation donne $p = (p + q)^2$, qui est équivalente à $p(1 - p - 2q) = q^2$, ce qui fait bien $p\, r = q^2$.

Partant de conditions initiales quelconques (p_0, q_0, r_0) avec $p_0 + 2q_0 + r_0 = 1$, Hardy remarque que

$$q_1^2 = (p_0 + q_0)^2(q_0 + r_0)^2 = p_1\, r_1.$$

Le triplet (p_1, q_1, r_1) est donc déjà un point d'équilibre. Par conséquent, (p_n, q_n, r_n) reste égal à (p_1, q_1, r_1) pour tout $n \geqslant 1$. Si l'on note $x = p_0 + q_0$ la fréquence de l'allèle A dans la population à la génération 0, alors $1 - x = q_0 + r_0$ est la fréquence de l'allèle a et on déduit de ce qui précède en réutilisant le système (1)–(3) que

$$p_n = x^2, \quad 2q_n = 2x\,(1 - x), \quad r_n = (1 - x)^2$$

pour tout $n \geqslant 1$ (fig. 2).

Ainsi, les hypothèses conduisent à la loi selon laquelle *les fréquences des génotypes* AA*,* A*a et* aa *restent inchangées au fil des générations* ! La théorie de Mendel ne conduit donc pas à une augmentation progressive de la fréquence du caractère dominant comme il avait été d'abord cru.

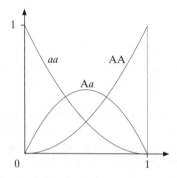

Fig. 2. *Les graphes des fonctions* x^2, $2x(1-x)$ *et* $(1-x)^2$ *correspondant aux fréquences des génotypes* AA, Aa *et* aa.

Quelques années plus tard, Fisher insistera sur un corollaire important de cette loi : en première approximation (c'est-à-dire en supposant que les hypothèses sont à peu près satisfaites dans la réalité), une population conserve une variance génétique constante. Cela résout l'un des problèmes posés par la théorie de Charles Darwin. En effet, celui-ci croyait comme ses contemporains qu'à chaque génération, les caractères des enfants étaient une sorte de moyenne des caractères des deux parents, chacun contribuant pour moitié. Cette idée avait été étudiée par la suite de manière statistique par Francis Galton, puis par son successeur au laboratoire de biométrie, Karl Pearson. Si cela était vrai, la variance d'un caractère dans une population devrait être divisée par deux à chaque génération et il y aurait rapidement une homogénéité telle que la sélection naturelle censée expliquer l'évolution serait impossible. Plusieurs années seront malgré tout nécessaires avant que ce mécanisme ne soit rejeté, les biométriciens défenseurs du point de vue de Darwin étant peu enclins, à cause de disputes de personnes, à reconnaître que les lois de Mendel sont indispensables pour compléter la théorie de l'évolution.

Après ce travail de 1908, Hardy retourne aux mathématiques « pures » et ne les quittera plus : dans son *Apologie d'un mathématicien* (1940), il affirmera même avec fierté n'avoir jamais fait de découverte « utile ». En 1910, il est élu à la Royal Society. En 1913, il découvre le prodige indien Ramanujan et l'invite à Cambridge. Après la première guerre mondiale, il devient professeur de géométrie à Oxford et poursuit une collaboration fructueuse avec son compatriote Littlewood. De 1931 à 1942, il est à nouveau professeur à Cambridge. Il publie de nombreux livres, souvent en collaboration : *Orders of Infinity* (1910), *The General Theory of Dirichlet's Series* avec Marcel Riesz (1915), *Inequalities* avec Littlewood et Pólya (1934), *An Introduction to the Theory of Numbers* avec E. M. Wright (1938), *Ramanujan* (1940), *Fourier Series* avec Rogosinski (1944) et *Divergent Series* (publié en 1949). Il meurt à Cambridge en 1947.

Fig. 3. *Wilhelm Weinberg.*

Plusieurs décennies plus tard, il apparaît finalement que la « loi de Hardy » avait également été découverte cette même année 1908 par un médecin allemand, Wilhelm Weinberg. Weinberg était né à Stuttgart en 1862. Après des études à Tübingen et Munich menées jusqu'à un doctorat de médecine, il avait travaillé quelques années dans des hôpitaux à Berlin, Vienne et Francfort, puis s'était installé en 1889 à Stuttgart comme médecin généraliste et obstétricien. Bien que très occupé par son travail, il avait trouvé le temps d'écrire un grand nombre d'articles dans des revues scientifiques allemandes. En 1901, il s'était notamment intéressé d'un point de vue statistique à la fréquence des jumeaux de même sexe. L'article de 1908 dans lequel il avait exposé la même loi que Hardy était paru dans un journal peu connu et n'avait donc pas été remarqué. Mais contrairement à Hardy, il avait poursuivi son étude les années suivantes, découvrant par exemple la généralisation au cas où plus de deux allèles existent. Il avait également apporté d'autres contributions dans le domaine des statistiques médicales. Weinberg était mort en 1937. Après la redécouverte de son article de 1908, on a donné à la loi de stabilité des fréquences des génotypes le nom de loi de Hardy-Weinberg.

Chapitre 14

Ross et la malaria (1911)

Ronald Ross naît en 1857 en Inde, où son père est officier dans l'armée britannique. Il est l'aîné de dix enfants. Envoyé en Angleterre pour son éducation et suivant le désir de son père, il étudie la médecine à Londres mais préfère écrire des poèmes et des pièces de théâtre. Après un échec à son examen et un an passé sur un navire comme chirurgien, il parvient à intégrer l'Indian Medical Service en 1881. Pendant cette première période, il néglige un peu son travail de médecin mais développe un certain intérêt pour les mathématiques. En 1888, il obtient un diplôme de santé publique et suit des cours de bactériologie et de microscopie en Angleterre. De retour en Inde, Ross commence à étudier la malaria. En 1894, il rencontre à Londres Patrick Manson, spécialiste de médecine tropicale, qui lui montre au microscope ce que le médecin militaire français Alphonse Laveran avait remarqué en 1880, à savoir que le sang des patients atteints par la malaria contient des parasites. Manson suggère que les parasites pourraient provenir des moustiques car il a lui même découvert en Chine le parasite d'une autre maladie tropicale (la filariose) chez ces insectes. Il croit cependant que le parasite est transmis lorsque les hommes boivent de l'eau contaminée par les moustiques. De 1895 à 1898, Ross poursuit ses recherches en Inde et teste l'idée de Manson. En 1897, il découvre dans l'estomac d'une espèce de moustique qu'il n'avait pas rencontrée jusque-là, un anophèle, des parasites semblables à ceux observés par Laveran. Ses supérieurs l'envoient alors à Calcutta à une saison où les cas humains de malaria sont rares ; il décide donc d'étudier la malaria chez des oiseaux en cage. Il montre en particulier que le parasite est présent dans les glandes salivaires de moustiques et parvient à infecter expérimentalement des oiseaux sains en les faisant piquer par ces moustiques : cela montre que la malaria se transmet par la piqûre des moustiques et non par l'ingestion d'eau contaminée. En 1899, Ross quitte l'Indian Medical Service pour enseigner à l'école de médecine tropicale de Liverpool créée un an plus tôt. Il est élu à la Royal Society en 1901 et reçoit en 1902 le prix Nobel de physiologie et de médecine « pour son travail sur la malaria ». Il voyage en Afrique, à l'île Maurice et sur le pourtour méditerranéen pour populariser la lutte contre les moustiques. La méthode connaît d'importants succès, par exemple en Égypte le long du canal de Suez, au Panama pendant la construction du canal, à Cuba et en Malaisie. D'autres endroits rencontrent plus de difficultés. Ross publie *Report on the Prevention of Malaria in Mauritius* en 1908, puis *The Prevention of Malaria* en 1910.

Fig. 1. *Ronald Ross.*

Malgré sa démonstration du rôle de certains moustiques dans la transmission de la malaria, Ross rencontrait un certain scepticisme lorsqu'il affirmait que la malaria pourrait être éradiquée simplement en réduisant le nombre de ces moustiques. Dans la deuxième édition de son livre *The Prevention of Malaria* parue en 1911, il a l'idée de représenter la transmission de la malaria sous la forme d'équations afin d'étayer son argument. L'un de ses modèles est constitué d'un système de deux équations différentielles. Introduisons les notations suivantes :

- N : population humaine totale dans une localité ;
- $I(t)$: nombre d'humains infectés par la malaria à l'instant t ;
- n : population totale de moustiques (supposée constante) ;
- $i(t)$: nombre de moustiques infectés par la malaria ;
- b : fréquence à laquelle les moustiques piquent ;
- p (respectivement p') : probabilité de transmission de la malaria de l'homme au moustique (respectivement du moustique à l'homme) lors d'une piqûre ;
- a : vitesse à laquelle les humains guérissent de la malaria ;
- m : mortalité des moustiques.

Pendant un petit intervalle de temps dt, chaque moustique infecté pique $b\,dt$ humains, parmi lesquels une fraction égale à $\frac{N-I}{N}$ n'est pas encore infectée. Tenant compte de la probabilité de transmission p', il y a donc $b\,p'\,i\,\frac{N-I}{N}\,dt$ nouvelles personnes infectées. Pendant ce temps, le nombre de personnes qui guérissent est $a\,I\,dt$. Ainsi,

$$\frac{dI}{dt} = b\,p'\,i\,\frac{N-I}{N} - a\,I.$$

Pendant le même petit intervalle de temps dt, chaque moustique non infecté pique $b\,dt$ humains, parmi lesquels une fraction égale à I/N est déjà infectée. Tenant compte de la probabilité de transmission p, il y a donc $b\,p\,(n-i)\,\frac{I}{N}\,dt$ nouveaux moustiques infectés. Pendant ce temps, en supposant que l'infection n'influe pas sur la mortalité, le nombre de moustiques qui meurent est $m\,i\,dt$. Ainsi,

$$\frac{di}{dt} = b\,p\,(n-i)\,\frac{I}{N} - m\,i\,.$$

Comme la plupart des pays infectés par la malaria le sont en permanence, Ross ne s'intéresse qu'aux conditions d'équilibre de son système de deux équations : le nombre d'humains infectés $I(t)$ et le nombre de moustiques infectés $i(t)$ restent alors constants au cours du temps ($dI/dt = 0$ et $di/dt = 0$). D'abord, il y a toujours l'équilibre avec $I = 0$ et $i = 0$, qui correspond à l'absence de malaria. Ross cherche par ailleurs un équilibre tel que $I > 0$ et $i > 0$. En divisant les équations d'équilibre par le produit $I \times i$, le problème devient un système linéaire de deux équations à deux inconnues $1/I$ et $1/i$:

$$\frac{b\,p'}{I} - \frac{a}{i} = \frac{b\,p'}{N} \,, \quad -\frac{m}{I} + \frac{b\,p\,n}{N\,i} = \frac{b\,p}{N} \,.$$

Résolvant ce système, on obtient

$$I = N\,\frac{1 - a\,m\,N/(b^2\,p\,p'\,n)}{1 + a\,N/(b\,p'\,n)} \,, \tag{1}$$

$$i = n\,\frac{1 - a\,m\,N/(b^2\,p\,p'\,n)}{1 + m/(b\,p)} \,.$$

On note alors que $I > 0$ et $i > 0$ seulement si le nombre de moustiques est supérieur à un seuil critique :

$$n > n^* = \frac{a\,m\,N}{b^2\,p\,p'} \,.$$

Dans ce cas, l'équilibre correspond à la situation où la maladie est endémique, c'est-à-dire présente en permanence. Ross en déduit que si le nombre de moustiques n est réduit en dessous du seuil critique n^*, alors seul l'équilibre $I = 0$ et $i = 0$ subsiste et la malaria doit disparaître. En particulier, il n'est pas nécessaire d'exterminer *tous* les moustiques.

Pour illustrer sa théorie, Ross cherche des valeurs numériques raisonnables pour les paramètres du modèle. Il suppose ainsi que

- la mortalité des moustiques est telle que seulement un tiers d'entre eux sont encore en vie au bout de dix jours ; donc $e^{-10m} = \frac{1}{3}$ et $m = (\log 3)/10$ par jour ;

- la moitié des personnes restent infectées au bout de trois mois; donc $e^{-90a} = 1/2$ et $a = (\log 2)/90$ par jour;
- un huitième des moustiques piquent chaque jour; donc $e^{-b} = 1 - 1/8$ et $b = \log(8/7)$ par jour.
- les moustiques ne sont en général pas infectieux pendant les dix premiers jours suivant leur infection car les parasites doivent passer par plusieurs stades de transformation. Comme un tiers des moustiques auront survécu au bout de ces dix jours, on peut également supposer qu'environ un tiers du nombre total de moustiques infectés sera infectieux : $p' = 1/3$;
- $p = 1/4$.

Ross peut alors calculer avec la formule (1) la fraction infectée I/N de la population humaine en fonction du rapport n/N entre la population de moustique et la population humaine. Il présente ses résultats sous la forme d'une table équivalente à la figure 2.

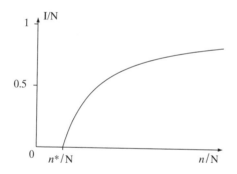

Fig. 2. *Fraction* I/N *d'humains infectés en fonction du rapport* $n/$N *entre la population de moustiques et la population humaine.*

La forme de la courbe montre que dès que le rapport $n/$N dépasse un petit peu la valeur critique $n^*/$N, la fraction infectée de la population humaine devient vite supérieure à 50% mais que cette fraction ne varie plus guère ensuite lorsque $n/$N augmente. Cela explique pourquoi la corrélation entre le nombre de moustiques et la présence de malaria n'avait jamais été notée avant lui. Ross note cependant que la valeur numérique de n^*/N est très sensible par exemple à de petites variations sur le coefficient b de fréquence des piqûres, sans que cela ne change la forme de la courbe dans la figure 2. Son explication qualitative est plus importante que ses résultats quantitatifs, qui souffrent de l'incertitude entourant la valeur numérique des paramètres.

Pour interpréter le seuil critique n^* découvert par Ross[1], posons

$$\mathcal{R}_0 = \frac{b^2 \, p \, p' \, n}{a \, m \, \mathrm{N}}, \qquad (2)$$

et considérons un humain infecté introduit dans une population d'humains et de moustiques sans malaria. Il restera infecté en moyenne pendant un temps égal à $1/a$. Il reçoit $b\,n/\mathrm{N}$ piqûres par unité de temps donc au total, il recevra en moyenne $b\,n/(a\,\mathrm{N})$ piqûres alors qu'il est infecté. Il infectera en moyenne $b\,p\,n/(a\,\mathrm{N})$ moustiques. Chacun de ces moustiques infectés vivra en moyenne pendant un temps égal à $1/m$, piquera en moyenne b/m humains et en infectera en moyenne $b\,p'/m$. Au total, au bout d'un « aller-retour » de la malaria entre les humains et les moustiques, le nombre moyen d'humains nouvellement infectés sera donc le produit des deux résultats précédents, soit $\mathcal{R}_0 = b^2 \, p \, p' \, n/(a\,m\,\mathrm{N})$. C'est ce qu'on appelle le « nombre de cas secondaires ». Le processus d'infection qui se déroule de manière continue dans le temps peut ainsi être considéré par générations successives. La malaria ne s'installe durablement dans la population que si $\mathcal{R}_0 > 1$. Cette condition est bien équivalente à $n > n^*$.

En conclusion, Ross plaide plus généralement pour la modélisation mathématique en épidémiologie :

> *En fait, puisque l'épidémiologie s'intéresse aux variations des maladies d'une période à une autre ou d'un endroit à un autre, elle doit être traitée mathématiquement pour*

---

1. Cette interprétation est postérieure à Ross.

être considérée comme scientifique, quel que soit le nombre de variables impliquées. Dire qu'une maladie dépend de certains facteurs n'est pas dire grand chose tant qu'on ne forme pas aussi une estimation de combien chaque facteur influence le résultat d'ensemble. Et la méthode mathématique de traitement n'est vraiment rien d'autre que l'application d'un raisonnement soigné aux problèmes en question.

Ross est anobli en 1911. En 1912, il s'installe à Londres et devient consultant, notamment auprès de l'armée britannique pendant la première guerre mondiale. En 1923, il publie une autobiographie intitulée *Memoirs With a Full Account of the Great Malaria Problem and Its Solution*. En 1926 est inauguré le Ross Institute of Tropical Diseases à Londres, dont il devient le directeur. Il meurt dans la même ville en 1932.

Fisher et la sélection naturelle (1922)

Ronald Aylmer Fisher naît à Londres en 1890, le dernier de six enfants. Son père a une société de vente aux enchères mais fera faillite par la suite. Fisher étudie les mathématiques et la physique au Gonville and Caius College de l'université de Cambridge de 1909 à 1913. La génétique (le terme a été inventé quelques années plus tôt) y est en plein développement. À partir de 1911, Fisher participe aux réunions du mouvement eugéniste initié par Galton. Il commence à s'intéresser aux problèmes statistiques posés par les travaux de Galton et de Mendel. Ses études terminées, il passe un été à travailler dans une ferme au Canada, puis accepte un travail à la Mercantile and General Investment Company dans la City à Londres. Pendant la première guerre mondiale, inapte pour l'armée à cause de sa myopie extrême, il enseigne dans des lycées. Pendant son temps libre, il s'occupe d'une ferme et continue ses recherches. En 1919, on lui offre un poste de statisticien à la station expérimentale agronomique de Rothamsted, où il analyse des données concernant les rendements des cultures et la météorologie et invente de nouvelles méthodes statistiques. En 1925, il publie un livre intitulé *Statistical Methods for Research Workers* qui connaît un grand succès et de nombreuses rééditions. Il est élu à la Royal Society en 1929.

En 1930, Fisher publie un livre intitulé *The Genetical Theory of Natural Selection*. Il rassemble la plupart des résultats qu'il a obtenu au cours de la décennie précédente et notamment ceux d'un article de 1922 intitulé *On the dominance ratio*.

Cet article présente un modèle mathématique combinant les lois génétiques découvertes par Mendel et l'idée de sélection

Fig. 1. *Ronald Aylmer Fisher.*

naturelle mise en avant par Darwin dans sa théorie de l'évolution. Fisher y étudie la même situation que Hardy, avec deux allèles A et a et l'hypothèse de panmixie, mais en supposant que les individus avec les génotypes AA, Aa et aa ont une mortalité différente avant d'atteindre l'âge de reproduction (c'est la sélection naturelle). Notant p_n, $2q_n$ et r_n les fréquences des trois génotypes parmi les individus de la génération n en âge de se reproduire, il y aura encore respectivement $(p_n + q_n)^2$, $2(p_n + q_n)(q_n + r_n)$ et $(q_n + r_n)^2$ nouveau-nés de la génération $n + 1$ ayant ces génotypes. Notant respectivement u, v et w leurs probabilités de survie jusqu'à l'âge de reproduction, on voit que les fréquences des génotypes parmi les individus de la génération $n + 1$ en âge de se reproduire seront p_{n+1}, $2q_{n+1}$ et r_{n+1} avec

$$p_{n+1} = \frac{u(p_n + q_n)^2}{d_n} \tag{1}$$

$$q_{n+1} = \frac{v(p_n + q_n)(q_n + r_n)}{d_n} \tag{2}$$

$$r_{n+1} = \frac{w(q_n + r_n)^2}{d_n}, \tag{3}$$

où l'on a posé par commodité

$$d_n = u(p_n + q_n)^2 + 2v(p_n + q_n)(q_n + r_n) + w(q_n + r_n)^2.$$

En se souvenant que $p_n + 2q_n + r_n = 1$, on voit que lorsque $u = v = w$ (c'est-à-dire en l'absence de sélection naturelle), le système (1)-(3) se réduit au système (1)-(3) du chapitre 13 considéré par Hardy.

Notons $x_n = p_n + q_n$ la fréquence de l'allèle A parmi les individus de la génération n en âge de se reproduire. Alors $q_n + r_n = 1 - x_n$ est la fréquence de l'allèle a. En additionnant (1) et (2), on obtient

$$x_{n+1} = \frac{u\,x_n^2 + v\,x_n(1 - x_n)}{u\,x_n^2 + 2\,v\,x_n(1 - x_n) + w(1 - x_n)^2}.$$

On remarque également aisément que cette équation peut se réécrire sous la forme

$$x_{n+1} - x_n = x_n\,(1 - x_n)\times$$
$$\frac{(v - w)(1 - x_n) + (u - v)x_n}{u\,x_n^2 + 2\,v\,x_n(1 - x_n) + w(1 - x_n)^2}. \qquad (4)$$

Il y a toujours au moins deux points d'équilibre où la fréquence x_n reste constante au fil des générations : $x = 0$ (toute la population est composée d'homozygotes aa) et $x = 1$ (toute la population est composée d'homozygotes AA).

À partir du système (4), on peut montrer que si l'homozygote AA a plus de chance de survie que les deux autres génotypes ($u > v$ et $u > w$), alors l'allèle a est progressivement éliminé de la population et ne peut donc être observé que très rarement dans la nature. Si en revanche l'hétérozygote Aa possède un avantage sélectif sur les homozygotes AA et aa ($v > u$ et $v > w$), alors les trois génotypes se maintiennent dans la population. C'est le cas le plus courant. Cela peut expliquer l'observation des éleveurs sur la « vigueur » des hybrides.

En effet, l'équilibre $x = 1$ est stable dans le premier cas ($u > v$) puisque $x_{n+1} - x_n \simeq (1 - x_n)(u - v)/u$ pour x_n proche de 1. Le système tend donc vers cet équilibre. Il est instable dans le deuxième cas ; il existe alors un troisième équilibre

$$x^* = \frac{v - w}{2v - u - w}$$

avec $0 < x^* < 1$. De plus, on peut vérifier que celui-ci est stable. L'équilibre x^* correspond à un mélange des trois génotypes.

Ainsi, en combinant simplement les lois de Mendel et une hypothèse de sélection naturelle (ici, des probabilités de survie différentes pour les trois génotypes), on peut expliquer les deux situations de coexistence ou de disparition de génotypes. Après Fisher, ce modèle a également été développé par J. B. S. Haldane (cf. chap. 19) et par Sewall Wright (cf. chap. 20).

Remarquons que si l'homozygote *aa* est défavorisé par rapport aux deux autres génotypes, avec les nombres u, v et w dans un rapport $1 : 1 : 1 - \varepsilon$, alors l'équation (4) devient

$$x_{n+1} - x_n = \frac{\varepsilon x_n (1 - x_n)^2}{1 - \varepsilon(1 - x_n)^2} \simeq \varepsilon x_n (1 - x_n)^2 \qquad (5)$$

pour $\varepsilon \ll 1$. Si l'hétérozygote A*a* a une survie intermédiaire entre celle des deux homozygotes, les nombres u, v et w étant dans un rapport $1 : 1 - \varepsilon/2 : 1 - \varepsilon$, alors

$$x_{n+1} - x_n = \frac{\frac{\varepsilon}{2} x_n(1 - x_n)}{1 - \varepsilon(1 - x_n)} \simeq \frac{\varepsilon}{2} x_n(1 - x_n) \qquad (6)$$

toujours pour $\varepsilon \ll 1$. Les équations (5) et (6) interviendront au chapitre 23.

Après son livre paru en 1930, Fisher poursuit en parallèle ses travaux en statistique et sur la génétique des populations. Il devient professeur d'eugénique à University College à Londres en 1933, succédant à Karl Pearson au Galton Laboratory. En

1943, il prend un poste de professeur de génétique à l'université de Cambridge, succédant cette fois-ci à R. C. Punnett (cf. chap. 13). Il publie également plusieurs livres : *The Design of Experiments* (1935), *The Theory of Inbreeding* (1949), *Statistical Methods and Scientific Inference* (1956). Anobli en 1952, il s'installe en Australie après sa retraite en 1959 et meurt à Adélaïde en 1962.

Chapitre 16

Yule et l'évolution (1924)

George Udny Yule naît en Écosse en 1871, d'un père ancien haut fonctionnaire dans l'administration britannique en Inde. Dès l'âge de seize ans, il étudie à University College à Londres pour devenir ingénieur. En 1892, il change d'orientation et part s'initier à la recherche pendant un an à Bonn sous la direction du physicien Heinrich Hertz. À son retour, le professeur Karl Pearson lui propose un poste d'assistant en mathématiques appliquées à University College. Yule se tourne alors comme Pearson vers la statistique. En 1911, il publie un livre intitulé *An Introduction to the Theory of Statistics* qui connaîtra quatorze éditions. L'année suivante, il accepte un poste à l'université de Cambridge. Ses travaux de recherche concernent les aspects théoriques de

Fig. 1. *George Udny Yule.*

la statistique mais aussi ses applications dans les domaines de l'agriculture et de l'épidémiologie. En 1922, il est élu à la Royal Society.

En 1924, Yule publie un article intitulé *A mathematical theory of evolution based on the conclusions of Dr. J. C. Willis*. Willis, un de ses collègues à la Royal Society, s'était intéressé à la distribution des espèces au sein des différents genres de la classification du règne animal. Les données qu'il avait compilées montraient que la plupart des genres ne sont constitués que d'une seule espèce mais que quelques genres regroupent au contraire un très grand nombre d'espèces. Le tableau 1 rassemble les données sur deux familles de coléoptères, les Chrysomèles et les Cerambycinae, sur les serpents et sur les lézards. Ainsi, les 1 580 espèces de lézards recensées à l'époque avaient été classées en 259 genres, 105 genres n'étant constitués que d'une seule espèce, 44 de deux espèces, 23 de trois espèces, etc., et deux de plus de cent espèces. Dans son article, Yule propose un modèle mathématique de l'évolution pouvant rendre compte de telles distributions.

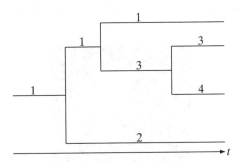

Fig. 2. *Exemple de simulation de l'évolution du nombre d'espèces d'un même genre. L'espèce 1 engendre les espèces 2 et 3. L'espèce 3 engendre l'espèce 4.*

Pour cela, il imagine tout d'abord un modèle stochastique avec un temps continu [1] pour la croissance du nombre d'espèces

---

1. Signalons que McKendrick (cf. chap. 18) avait déjà commencé à

nombre	nombre de genres			
d'espèces	*a*	*b*	*c*	*d*
1	215	469	131	105
2	90	152	35	44
3	38	82	28	23
4	35	61	17	14
5	21	33	16	12
6	16	36	9	7
7	15	18	8	6
8	14	17	8	4
9	5	14	9	5
10	15	11	4	5
11-20	58	74	10	17
21-30	32	21	12	9
31-40	13	15	3	3
41-50	14	8	1	2
51-60	5	4	0	0
61-70	8	3	0	1
71-80	7	0	1	0
81-90	7	1	0	0
91-100	3	1	1	0
101-	16	4	0	2
total	627	1024	293	259

Tab. 1. *Données compilées par Willis pour les Chrysomèles (a), les Cerambycinae (b), les serpents (c) et les lézards (d).*

à l'intérieur d'un genre (fig. 2). Partant d'une seule espèce à $t = 0$, il suppose que la probabilité pour qu'une espèce donne naissance par mutation à une nouvelle espèce du même genre pendant chaque « petit » intervalle de temps dt (à l'échelle de l'évolution) est égale à $r\, dt$.

Soit $P_n(t)$ la probabilité pour qu'il y ait n espèces à l'instant t (n est un nombre entier mais t un nombre réel). Pour calculer $P_n(t + dt)$, Yule considère plusieurs cas :

étudier de tels modèles pour la dynamique de populations dans un article paru en 1914.

– s'il y a $n - 1$ espèces à l'instant t, chacune a une probabilité $r\,dt$ d'engendrer une nouvelle espèce entre t et $t + dt$; dans la limite $dt \to 0$, il y aura donc n espèces à l'instant $t + dt$ avec une probabilité $(n - 1)\,r\,dt$;

– s'il y a n espèces à l'instant t, il y aura $n + 1$ espèces à l'instant $t + dt$ avec une probabilité $n\,r\,dt$.

Ainsi,

$$\frac{dP_1}{dt} = -r\,P_1\,, \tag{1}$$

$$\frac{dP_n}{dt} = (n - 1)\,r\,P_{n-1} - n\,r\,P_n\,. \tag{2}$$

De la première équation, on tire $P_1(t) = e^{-rt}$ car $P_1(0) = 1$. On peut montrer que la solution de la deuxième équation tenant compte de la condition initiale $P_n(0) = 0$ est

$$P_n(t) = e^{-rt}\,(1 - e^{-rt})^{n-1} \tag{3}$$

pour tout $n > 1$ (fig. 3). Ainsi, à un instant t fixé, la distribution de probabilités $(P_n(t))_{n \geqslant 1}$ est géométrique décroissante de rapport $1 - e^{-rt}$.

En effet, on remarque d'abord que l'équation (2) est équivalente à

$$\frac{d}{dt}\Big[P_n\,e^{nrt}\Big] = (n - 1)\,r\,P_{n-1}\,e^{nrt} \tag{4}$$

ce qui permet de calculer de proche en proche $P_2(t)$, $P_3(t)$... On obtient ainsi d'abord $P_2(t) = e^{-rt}\,(1 - e^{-rt})$, puis $P_3(t) = e^{-rt}\,(1 - e^{-rt})^2$, ce qui suggère la formule (3) pour la solution générale. On peut alors vérifier que cette formule est bien solution de l'équation (4).

Yule déduit également de la formule (3) que l'espérance du nombre d'espèces à l'instant t est égale à

$$\sum_{n=1}^{\infty} n\,P_n(t) = e^{rt}\,,$$

et croît donc exponentiellement.

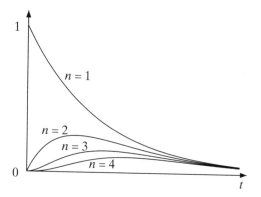

Fig. 3. *La probabilité* $P_n(t)$ *pour qu'il y ait n espèces du même genre à l'instant t, pour* $1 \leqslant n \leqslant 4$.

En effet, on remarque d'abord que pour $|x| < 1$,

$$\sum_{n=1}^{\infty} n\, x^{n-1} = \frac{d}{dx} \sum_{n=0}^{\infty} x^n = \frac{d}{dx}\Big(\frac{1}{1-x}\Big) = \frac{1}{(1-x)^2}\,.$$

Alors

$$\sum_{n=1}^{\infty} n\, P_n(t) = e^{-rt} \sum_{n=1}^{\infty} n(1 - e^{-rt})^{n-1} = e^{rt}\,.$$

C. Q. F. D.

En particulier, si T est le temps de doublement défini par $e^{rT} = 2$, la distribution de probabilités $(P_n(t))_{n \geqslant 1}$ du nombre d'espèces à l'instant $t = T$ est géométrique de rapport $1/2$:

$$\frac{1}{2}, \quad \frac{1}{4}, \quad \frac{1}{8}, \quad \frac{1}{16} \quad \cdots$$

À l'instant $t = kT$, elle devient géométrique de rapport $1 - 1/2^k$, avec $1/2^k$ comme premier terme.

Yule considère parallèlement à ce processus de multiplication des espèces appartenant à un même genre qu'un processus analogue dû à des mutations plus importantes conduit à la formation de nouveaux genres. Notons $s\,dt$ la probabilité pour qu'un genre existant donne naissance à un nouveau genre pendant un petit intervalle de temps dt. Comme précédemment, en supposant qu'il n'y a qu'un seul genre à $t = 0$, l'espérance du nombre de genres à l'instant t est e^{st}. Le nombre moyen de nouveaux genres apparaissant par unité de temps à l'instant t est la dérivée $s\,e^{st}$. Dans la limite[2] où $t \to +\infty$, le nombre moyen de genres qui à l'instant t existent depuis x unités de temps à dx près est alors $s\,e^{s(t-x)}\,dx$. La probabilité pour qu'un genre pris au hasard à l'instant t existe depuis x unités de temps à dx près vaut donc $s\,e^{-sx}\,dx$.

Maintenant, si un genre pris au hasard à l'instant t existe depuis x unités de temps, la probabilité pour que ce genre se compose de n espèces est d'après la formule (3) égale à $e^{-rx}(1 - e^{-rx})^{n-1}$ pour $n \geqslant 1$. Ainsi, la probabilité q_n pour qu'un genre pris au hasard à l'instant t se compose de n espèces est

$$q_n = \int_0^\infty s\,e^{-sx}\,e^{-rx}(1 - e^{-rx})^{n-1}\,dx\,.$$

Posons $u = r/s$. Un petit calcul montre que $q_1 = 1/(1+u)$ et que

$$q_n = \frac{1}{1+u}\,\frac{u}{1+2u}\,\frac{2u}{1+3u}\,\cdots\,\frac{(n-1)u}{1+nu} \qquad (5)$$

pour tout $n \geqslant 2$.

En effet, on a $(1 - e^{-rx})^{n-1} = (1 - e^{-rx})^{n-2}(1 - e^{-rx})$, d'où

$$q_n = q_{n-1} - s\int_0^\infty e^{-(r+s)x}(1 - e^{-rx})^{n-2}\,e^{-rx}\,dx\,.$$

En intégrant par parties, on obtient la relation

$$q_n = q_{n-1} - \frac{r+s}{(n-1)r}\,q_n,$$

_____

2. Yule considère également le cas où t ne peut être supposé très grand par rapport au temps de doublement de e^{st}. Les calculs sont un peu plus compliqués mais les résultats ne sont pas très différents.

d'où l'on déduit que

$$q_n = \frac{(n-1)\,r/s}{1 + n\,r/s}\,q_{n-1}\,.$$

Il ressort de l'expression (5) que la suite de probabilités $(q_n)_{n \geqslant 1}$ est décroissante. Le maximum est donc atteint pour $n = 1$: la plupart des genres ne sont bien constitués que d'une seule espèce. De plus, la décroissance de q_n vers 0 est relativement lente quand n augmente puisque $q_n/q_{n-1} \to 1$.

Considérons par exemple le cas des lézards. On peut estimer le paramètre u à partir de la proportion $q_1 = 1/(1 + u)$ des genres qui ne comptent qu'une seule espèce. D'après le tableau 1, on a $q_1 = 105/259$, d'où $u \simeq 1{,}467$. On peut alors calculer les probabilités théoriques q_n et le nombre escompté de genres composés de n espèces en multipliant q_n par le nombre total de genres, qui est 259 (tableau 2). Yule remarque que l'accord entre les observations et les calculs est assez bon [3] étant donné la simplicité du modèle, qui ne tient pas compte par exemple des multiples cataclysmes que les espèces ont traversés au cours de millions d'années.

À partir de 1931, Yule abandonne progressivement ses fonctions à l'université de Cambridge. Il s'intéresse alors en particulier à la distribution statistique de la longueur des phrases pour identifier l'auteur d'un ouvrage. Il applique cela notamment au livre publié par John Graunt (cf. chap. 2) mais peut-être écrit par William Petty. En 1944, il publie un livre intitulé *The Statistical Study of Literary Vocabulary*. Il meurt en 1951.

De nos jours, le modèle étudié par Yule est encore utilisé pour l'interprétation des « arbres phylogénétiques » (les arbres généalogiques des espèces). Ces arbres, semblables à celui de la figure 2, sont de mieux en mieux connus grâce aux nouvelles informations fournies par la biologie moléculaire. Mais les applications du processus stochastique défini par les équations (1)-(2)

---

3. Pour le nombre de genres comptant plus de cent espèces, on obtient un bien meilleur accord que dans le tableau 2 en ne supposant pas t très grand par rapport au temps de doublement de e^{st}.

nombre d'espèces par genre	nombre de genres observé	nombre de genres calculé
1	105	105
2	44	39,2
3	23	21,3
4	14	13,6
5	12	9,6
6	7	7,2
7	6	5,6
8	4	4,5
9	5	3,7
10	5	3,1
11-20	17	16,6
21-30	9	6,9
31-40	3	3,9
41-50	2	2,6
51-60	0	1,9
61-70	1	1,4
71-80	0	1,1
81-90	0	0,9
91-100	0	0,7
101-	2	10,1
total	259	259

Tab. 2. *Comparaison des données et de la théorie dans le cas des lézards (1 580 espèces classées en 259 genres).*

ne se limitent pas qu'à la théorie de l'évolution. Ce processus sert de base à de nombreux modèles de dynamique de populations, du niveau microscopique (pour modéliser par exemple une colonie de bactéries) au niveau macroscopique (pour modéliser les débuts d'une épidémie). Il est appelé de nos jours « processus de naissance pur » ou « processus de Yule ». Une variante assez simple consiste à inclure une probabilité $m\,dt$ de mourir pendant chaque petit intervalle de temps dt : l'espérance de la taille de la population à l'instant t pour ce « processus de naissance et de mort » est alors $e^{(r-m)t}$.

Chapitre 17

Lotka et la « biologie physique » (1925)

Alfred James Lotka naît en 1880 à Lemberg[1] dans l'Empire austro-hongrois, de parents américains. Il fait ses études en France et en Allemagne, puis obtient en 1901 une licence de physique et chimie de l'université de Birmingham en Angleterre. Il passe un an à Leipzig, où le rôle de la thermodynamique en chimie et en biologie est mis en avant par Wilhelm Ostwald (prix Nobel de chimie en 1909). En 1902, Lotka s'installe à New York et commence à travailler comme chimiste pour la General Chemical Company. En 1908-1909, il retourne étudier à l'université Cornell pour obtenir un *master*. Il travaille pour le National Bureau of Standards de 1909 à 1911, puis comme éditeur de la revue *Scientific American Supplement* de 1911 à 1914. En 1912, il obtient un doctorat de l'université de Birmingham en rassemblant les articles qu'il a publiés depuis 1907, qui traitent pour la plupart de la dynamique des populations et plus spécialement de la démographie. Pendant la première guerre mondiale, il travaille à nouveau pour la General Chemical Company sur la fixation de l'azote atmosphérique. En 1920, un de ses articles sur les oscillations en biologie est remarqué par Raymond Pearl[2], professeur de biométrie à l'université Johns Hopkins. Espérant pouvoir trouver un travail à l'Institut Rockefeller de recherche médicale à New York, Lotka étudie les modèles mathématiques proposés par Ross pour la malaria. Mais finalement, il doit se contenter d'une simple bourse de l'université Johns Hopkins qui

---

1. Devenu par la suite Lwów en Pologne. Aujourd'hui L'viv en Ukraine.
2. On a vu au chapitre 9 que c'est précisément en 1920 que Pearl et Reed ont « redécouvert » l'équation logistique.

lui permet d'écrire entre 1922 et 1924 un livre intitulé *Elements of Physical Biology*, qui paraît en 1925.

Fig. 1. *Alfred James Lotka.*

Lotka reprend dans un des chapitres de ce livre son article de 1920 intitulé *Analytical note on certain rhythmic relations in organic systems*. Depuis quelques années déjà, il s'intéressait à certaines réactions chimiques présentant de manière transitoire de curieuses oscillations en laboratoire. Son article suggère qu'un système constitué de deux espèces biologiques peut même osciller de manière permanente. L'exemple considéré est celui d'une population d'animaux herbivores qui se nourrissent de plantes. Par analogie avec les équations utilisées pour la cinétique chimique, en notant $x(t)$ pour la masse totale des plantes et $y(t)$ pour la masse totale des herbivores à l'instant t, Lotka propose le modèle suivant :

$$\frac{dx}{dt} = a\,x - b\,x\,y\,, \qquad (1)$$

$$\frac{dy}{dt} = -c\,y + d\,x\,y\,, \qquad (2)$$

où les paramètres a, b, c et d sont tous positifs. Ainsi, le paramètre a est le taux de croissance des plantes en l'absence d'herbivores et c le taux de décroissance de la population d'herbivores en l'absence de plantes. Les termes $-b\,x\,y$ et $d\,x\,y$ traduisent le fait que plus il y a d'animaux ou de plantes, plus le transfert de masse des plantes vers les animaux sera important (le transfert se fait avec pertes donc $d \leqslant b$). En posant $dx/dt = 0$ et $dy/dt = 0$, Lotka observe qu'il y a deux états d'équilibre :

– $(x = 0,\ y = 0)$, la population d'herbivores est éteinte et la ressource de plantes est épuisée ;

– $(x = c/d,\ y = a/b)$, herbivores et plantes coexistent.

Il indique aussi, sans vraiment le démontrer, que si à $t = 0$, $(x(0), y(0))$ n'est pas l'un de ces deux points d'équilibre, alors les fonctions $x(t)$ et $y(t)$ oscillent de manière périodique : il existe un nombre $T > 0$, qui dépend en fait de la condition initiale, tel que $x(t + T) = x(t)$ et $y(t + T) = y(t)$ pour tout $t > 0$ (fig. 2). Si par exemple la masse de plantes est très importante, la population d'herbivores va croître, causant une diminution de la masse de plantes. Lorsque cette masse de plantes devient insuffisante pour nourrir les herbivores, certains d'entre eux meurent de faim et la masse de plantes commence à recroître jusqu'à un niveau égal à celui de départ et le phénomène se répète ainsi.

Dans son livre de 1925, Lotka apporte quelques précisions. Il note tout d'abord que des systèmes à deux espèces hôte-parasite ou proie-prédateur peuvent être décrit par le même modèle (1)–(2). Il explique aussi pourquoi le système oscille de manière périodique. Cela résulte du fait que le point $(x(t), y(t))$ décrit une trajectoire fermée dans le plan avec x en abscisse et y en or-

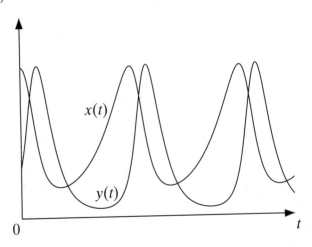

Fig. 2. *Oscillations de la masse de plantes* $x(t)$ *et de la masse des herbivores* $y(t)$ *en fonction du temps.*

donnée, plus exactement dans le quadrant $x \geqslant 0$ et $y \geqslant 0$ (fig. 3).

En effet, en divisant l'équation (1) par l'équation (2), on obtient après réarrangement

$$\left(-\frac{c}{x} + d\right) \frac{dx}{dt} = \left(\frac{a}{y} - b\right) \frac{dy}{dt}.$$

Ceci s'intègre pour donner

$$d\,x(t) - c \log x(t) = -b\,y(t) + a \log y(t) + K,$$

où K est une constante qui ne dépend que de la condition initiale. Ainsi, le point $(x(t), y(t))$ reste sur la courbe d'équation $d\,x - c \log x = -b\,y + a \log y + K$, dont on peut montrer qu'elle est fermée (fig. 3).

La trajectoire tourne autour du point d'équilibre $(c/d, a/b)$ dans le sens inverse des aiguilles d'une montre, comme on peut le voir facilement en étudiant le signe de dx/dt et de dy/dt. Près de ce point d'équilibre, le système suit de petites oscillations de période $2\pi/\sqrt{a\,c}$.

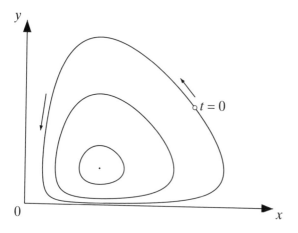

Fig. 3. *Diagramme avec la masse de plantes $x(t)$ en abscisse et la masse totale des herbivores $y(t)$ en ordonnée. Les trois courbes fermées entourant le point d'équilibre correspondent à des conditions initiales différentes.*

En effet, posons $x = \frac{c}{d} + x^*$ et $y = \frac{a}{b} + y^*$, avec $x^* \ll \frac{c}{d}$ et $y^* \ll \frac{a}{b}$.
Alors

$$\frac{dx^*}{dt} = -b\,y^* \left(\frac{c}{d} + x^*\right) \simeq -\frac{b\,c}{d}\,y^*,$$

$$\frac{dy^*}{dt} \simeq d\,x^* \left(\frac{a}{b} + y^*\right) \simeq \frac{a\,d}{b}\,x^*.$$

À partir de ces deux équations, on obtient

$$\frac{d^2 x^*}{dt^2} \simeq -a\,c\,x^* \quad \text{et} \quad \frac{d^2 y^*}{dt^2} \simeq -a\,c\,y^*.$$

Ce sont des équations analogues à celles que l'on rencontre en physique pour les oscillations d'un pendule simple. La période est bien $2\pi/\sqrt{a\,c}$.

On verra au chapitre 22 comment ce modèle sera redécouvert peu de temps après par Volterra pour expliquer des données de pêche. Lotka, à l'inverse de Volterra, ne poursuivra pas dans cette voie et retournera à l'étude mathématique de la démographie (cf. chap. 24). Le modèle de Lotka-Volterra, comme on l'appelle maintenant, est l'un des plus cités dans le domaine de l'écologie.

Chapitre 18

McKendrick et les épidémies (1926)

Anderson Gray McKendrick naît en 1876 à Édimbourg en Écosse, le dernier de cinq enfants. Il étudie la médecine à l'université de Glasgow où son père, *fellow* de la Royal Society, est professeur de physiologie. En 1900, après l'obtention de son diplôme, il rejoint l'Indian Medical Service. Avant d'être envoyé aux Indes, il accompagne Ronald Ross pour une mission de lutte contre la malaria en Sierra Leone. Puis il effectue son service militaire de 18 mois au Soudan. Arrivé en Inde, il prend un poste de médecin dans une prison au Bengale, où il essaie de lutter contre les épidémies de dysenterie. En 1905, il rejoint le nouveau centre de recherche de l'institut Pasteur de Kausali dans le Punjab, dont il deviendra le directeur en 1914. Il y travaille sur la rage, tout en complétant sa formation en mathématiques. En 1920, infecté par une maladie tropicale, il est rapatrié à Édimbourg où il devient surintendant du laboratoire du Royal College of Physicians.

En 1926, McKendrick publie un article intitulé *Applications of mathematics to medical problems*, qui contient plusieurs nouveautés. Il propose notamment un modèle mathématique pour les épidémies où le temps est une variable continue et qui tient compte du caractère aléatoire des processus d'infection et de guérison.

Soit une population de taille N avec initialement une seule personne infectée. Les individus peuvent passer successivement de l'état susceptible S à l'état infecté I puis à l'état immunisé R (fig. 2)[1]. Soit $p_{i,r}(t)$ la probabilité pour qu'à l'instant t, la population compte i personnes dans l'état I et r personnes dans

---

1. Dans le modèle de Daniel Bernoulli (cf. chap. 5), il n'y avait que les

Fig. 1. *Anderson Gray McKendrick.*

l'état R, où i et r sont des entiers tels que $1 \leqslant i + r \leqslant N$. Dans ce cas, on dit que la population est dans l'état (i, r). Le nombre de personnes encore susceptibles est alors $s = N - i - r$. Adoptant une approche semblable à celle de Ross pour la malaria (cf. chap. 14), McKendrick suppose que, pendant un petit intervalle de temps dt, la probabilité pour qu'une nouvelle infection se produise est $a \, s \, i \, dt$ (c'est-à-dire proportionnelle à la fois au nombre de susceptibles et au nombre d'infectés) et la probabilité pour qu'une nouvelle guérison se produise est $b \, i \, dt$; a et b sont

---

états S et R, la durée de l'infection étant très courte par rapport à la durée de vie humaine.

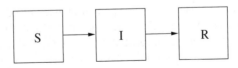

Fig. 2. *États possibles : susceptible (S), infecté (I), immunisé (R).*

des paramètres. Pour calculer $p_{i,r}(t + dt)$, il faut considérer plusieurs cas :

- la population est dans l'état $(i - 1, r)$ à l'instant t et une nouvelle infection la fait passer à l'état (i, r) entre t et $t + dt$; la probabilité de cet événement est $a\,s\,(i - 1)\,dt$, avec $s = N - (i - 1) - r$;
- la population est dans l'état (i, r) à l'instant t et une nouvelle infection la fait passer à l'état $(i + 1, r)$ entre t et $t + dt$; la probabilité de cet événement est $a\,s\,i\,dt$, avec $s = N - i - r$;
- la population est dans l'état $(i + 1, r - 1)$ à l'instant t et une nouvelle guérison la fait passer à l'état (i, r) entre t et $t + dt$; la probabilité de cet événement est $b\,(i + 1)\,dt$;
- la population est dans l'état (i, r) à l'instant t et une nouvelle guérison la fait passer à l'état $(i - 1, r + 1)$ entre t et $t + dt$; la probabilité de cet événement est $b\,i\,dt$.

Ainsi, McKendrick trouve les équations

$$\frac{dp_{i,r}}{dt} = a\,(N - i - r + 1)\,(i - 1)\,p_{i-1,r} - a\,(N - i - r)\,i\,p_{i,r}$$

$$+ b\,(i + 1)\,p_{i+1,r-1} - b\,i\,p_{i,r} \qquad (1)$$

pour $1 \leqslant i + r \leqslant N$. Le premier terme dans le second membre est absent pour $i = 0$, tandis que le troisième est absent pour $r = 0$. Les conditions initiales sont $p_{i,r}(0) = 0$ pour tout (i, r) sauf $p_{1,0} = 1$.

Avec ce modèle, McKendrick parvient à calculer la probabilité pour que l'épidémie se termine avec n personnes ayant subi l'infection[2]. Pour cela, il n'y a pas besoin de résoudre le système (1). Il suffit de remarquer que tant qu'il y a i personnes infectées et r personnes immunisées, la probabilité pendant chaque petit intervalle de temps dt d'une nouvelle infection est $a\,(N - i - r)\,i\,dt$ et celle d'une guérison est $b\,i\,dt$. Ainsi, les probabilités de transition[3] de l'état (i, r) à l'état $(i + 1, r)$ ou à

---

2. C'est la limite quand $t \to +\infty$ de $p_{0,n}(t)$.
3. C'est le terme employé en général pour les « chaînes de Markov ».

l'état $(i - 1, r + 1)$ sont

$$\mathbb{P}_{(i,r) \to (i+1,r)} = \frac{a\,(N - i - r)}{a\,(N - i - r) + b},$$

$$\mathbb{P}_{(i,r) \to (i-1,r+1)} = \frac{b}{a\,(N - i - r) + b},$$

pour $i \geqslant 1$ (fig. 3).

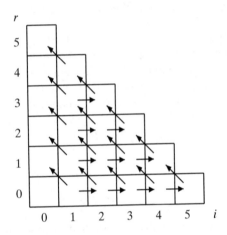

Fig. 3. *Diagramme représentant les états possibles d'une population avec* N = 5 *(i en abscisse, r en ordonnée) et les transitions possibles dues à une infection (flèches horizontales) ou à une guérison (flèches obliques).*

Notons alors $q_{i,r}$ la probabilité que la population passe par l'état (i, r) au cours de l'épidémie. Comme $i = 1$ et $r = 0$ à $t = 0$, on a $q_{1,0} = 1$. Les autres états sont atteints soit après une infection, soit après une guérison :

$$q_{i,r} = q_{i-1,r}\, \mathbb{P}_{(i-1,r) \to (i,r)} + q_{i+1,r-1}\, \mathbb{P}_{(i+1,r-1) \to (i,r)}\,.$$

Le premier terme du second membre est absent lorsque $i = 0$ et $i = 1$, le deuxième terme lorsque $r = 0$. À partir de cette formule, on calcule d'abord $(q_{i,0})_{2 \leqslant i \leqslant N}$, puis $(q_{i,1})_{0 \leqslant i \leqslant N-1}$, puis

$(q_{i,2})_{0 \leqslant i \leqslant N-2}$, etc. La probabilité pour que l'épidémie touche au total n personnes est $q_{0,n}$. Pour l'époque, les calculs sont assez fastidieux. McKendrick se limite donc à des exemples concernant une toute petite population, par exemple une famille. Avec N = 5 personnes et $b/a = 2$, il obtient ainsi le tableau 1. Les plus grandes probabilités correspondent au cas où seule une personne de la famille est infectée et au cas où toute la famille est infectée.

n	1	2	3	4	5
$q_{0,n}$	0,33	0,11	0,09	0,13	0,34

Tab. 1. *Probabilité pour qu'une épidémie dans une famille de 5 personnes touche n personnes lorsque b/a = 2.*

Le même article de 1926 contient également une formulation nouvelle des problèmes de démographie lorsqu'on considère le temps comme une variable continue. Si pour dx infiniment petit, $P(t, x)\, dx$ est la population d'âge compris entre x et $x + dx$ à l'instant t et si $m(x)$ est la mortalité à l'âge x, alors

$$P(t + h, x + h) \simeq P(t, x) - m(x)\, P(t, x)\, h$$

pour h infiniment petit. Introduisant les dérivées partielles de la fonction $P(t, x)$

$$\frac{\partial P}{\partial x}(t, x) = \lim_{h \to 0} \frac{P(t, x + h) - P(t, x)}{h},$$

$$\frac{\partial P}{\partial t}(t, x) = \lim_{h \to 0} \frac{P(t + h, x) - P(t, x)}{h},$$

et utilisant le développement limité

$$P(t + h, x + h) \simeq P(t, x) + h\, \frac{\partial P}{\partial t}(t, x) + h\, \frac{\partial P}{\partial x}(t, x),$$

McKendrick obtient l'équation suivante :

$$\frac{\partial P}{\partial t}(t, x) + \frac{\partial P}{\partial x}(t, x) + m(x)\, P(t, x) = 0.$$

C'est la première occurrence d'une équation aux dérivées partielles dans un problème de dynamique de populations. Ces équations interviennent naturellement lorsqu'on considère des populations structurées par une variable continue, telle que l'âge en démographie (cf. chap. 29) ou le temps écoulé depuis l'infection en épidémiologie.

Vers la même époque, William Ogilvy Kermack rejoint le laboratoire de chimie du Royal College of Physicians. Devenu aveugle à cause d'un accident de laboratoire en 1924, Kermack collabore néanmoins avec McKendrick sur la modélisation mathématique des épidémies.

À partir de 1927, ils publient ensemble une série d'articles intitulés *Contributions to the mathematical theory of epidemics*. Ils proposent cette fois un modèle mathématique déterministe du développement d'une épidémie. Soit donc une population de N individus (N assez grand), qui peuvent être comme dans l'article précédent soit susceptibles, soit infectés, soit immunisés (ou morts). On note $S(t)$, $I(t)$ et $R(t)$ le nombre d'individus dans chacun de ces trois états. Le modèle se présente sous la forme d'un système de trois équations différentielles :

$$\frac{dS}{dt} = -a\,S\,I, \tag{2}$$

$$\frac{dI}{dt} = a\,S\,I - b\,I, \tag{3}$$

$$\frac{dR}{dt} = b\,I. \tag{4}$$

Ainsi, le nombre de nouvelles infections par unité de temps est, comme dans le modèle stochastique de 1926, proportionnel à la fois au nombre de personnes susceptibles et au nombre de personnes infectées. Au début de l'épidémie, à $t = 0$, un certain nombre de personnes sont infectées : $S(0) = N - I_0$, $I(0) = I_0$ et $R(0) = 0$.

Bien que le système (2)-(4) ne puisse être résolu explicitement, on peut tout de même établir un certain nombre de ses propriétés :

- le nombre total d'individus $S(t)+I(t)+R(t)$ reste constant égal à N ;
- $S(t)$, $I(t)$ et $R(t)$ restent positifs ou nuls, comme il se doit pour des populations ;
- quand $t \to +\infty$, $S(t)$ décroît jusqu'à une limite $S_\infty > 0$, $I(t)$ tend vers 0 et $R(t)$ croît jusqu'à une limite $R_\infty < N$;
- de plus, on a la relation

$$-\log \frac{S_\infty}{S(0)} = \frac{a}{b}(N - S_\infty),\qquad(5)$$

qui donne de manière implicite S_∞ et donc aussi la taille finale de l'épidémie $R_\infty = N - S_\infty$.

En effet, on se rend compte tout d'abord que $\frac{d}{dt}(S+I+R) = 0$, ce qui entraîne que $S(t)+I(t)+R(t) = S(0)+I(0)+R(0) = N$. Les équations (2) et (3) peuvent être réécrites sous la forme

$$\frac{d}{dt}\left[S(t)\,e^{a\int_0^t I(\tau)\,d\tau}\right] = 0, \quad \frac{d}{dt}\left[I(t)\,e^{bt-a\int_0^t S(\tau)\,d\tau}\right] = 0.$$

On en déduit d'une part que $S(t) = S(0)\,e^{-a\int_0^t I(\tau)\,d\tau} \geq 0$ et d'autre part que $I(t) = I(0)\,e^{a\int_0^t S(\tau)\,d\tau-bt} \geq 0$. Les équations (2) et (4) montrent alors que la fonction $S(t)$ est décroissante et que la fonction $R(t)$ est croissante (ce qui implique $R(t) \geq 0$). Comme $S(t) \geq 0$ et $R(t) \leq N$, les fonctions $S(t)$ et $R(t)$ ont bien des limites quand $t \to +\infty$. L'équation (2) montre par ailleurs que $-\frac{d}{dt}[\log S] = aI$. Intégrant ceci entre $t = 0$ et $t = +\infty$, on trouve $\log S(0) - \log S_\infty = a\int_0^\infty I(t)\,dt$. L'équation (3) peut se réécrire $\frac{dI}{dt} = -\frac{dS}{dt} - bI$. Intégrant entre $t = 0$ et $t = +\infty$, on trouve $-I(0) = S_\infty - S_\infty - b\int_0^\infty I(t)\,dt$. En combinant les deux résultats, on obtient la relation (5) qui montre que $S_\infty > 0$.

Dans la limite où le nombre initial d'individus infectés I_0 est petit devant N, ce qui est souvent le cas au départ d'une épidémie dans une ville, la relation (5) peut alors se réécrire en utilisant que $S_\infty = N - R_\infty$ sous la forme

$$-\log\left(1 - \frac{R_\infty}{N}\right) \simeq \mathscr{R}_0\,\frac{R_\infty}{N},\qquad(6)$$

avec par définition

$$\mathcal{R}_0 = \frac{a\,N}{b}.$$

L'équation (6) n'a de solution positive que si $\mathcal{R}_0 > 1$. Kermack et McKendrick arrivent donc à la conclusion suivante : l'épidémie ne touchera une fraction non négligeable de la population que si $\mathcal{R}_0 > 1$. Il y a ainsi un seuil de population[4] $N^* = b/a$ au-dessous duquel une épidémie ne peut se développer.

Lorsque N est juste un peu au dessus de ce seuil ($N = N^* + \varepsilon$), une épidémie de faible amplitude se produit. Il résulte alors de (6) que $R_\infty \simeq 2\,\varepsilon$ et donc que $S_\infty \simeq N^* - \varepsilon$: *l'épidémie diminue la population de susceptibles au-dessous du seuil N^* d'autant qu'elle se trouvait initialement au-dessus.*

En effet, en utilisant l'approximation $-\log(1 - x) \simeq x + \frac{x^2}{2}$, l'équation (6) devient

$$\frac{R_\infty}{N} + \frac{1}{2}\left(\frac{R_\infty}{N}\right)^2 \simeq \mathcal{R}_0\,\frac{R_\infty}{N},$$

d'où

$$R_\infty \simeq 2(\mathcal{R}_0 - 1)N = 2\,\frac{\varepsilon}{N^*}\,(N^* + \varepsilon) \simeq 2\varepsilon.$$

Comme dans le modèle de Ross pour la malaria, la condition $\mathcal{R}_0 > 1$ a une interprétation assez simple. Puisque $a\,N$ est le nombre de personnes qu'un individu infecté infecte par unité de temps au début de l'épidémie et puisque $1/b$ est la durée moyenne de la période infectieuse, $\mathcal{R}_0 = a\,N/b$ est le nombre moyen de « cas secondaires » dûs à une personne infectée au début de l'épidémie.

Pour des maladies infectieuses mortelles, $R(t)$ peut représenter le nombre cumulé de morts depuis le début de l'épidémie et dR/dt le nombre de morts par unité de temps. Kermack et McKendrick remarquent que le graphe de la fonction dR/dt dans leur modèle mathématique a bien la forme de « cloche » que l'on attend d'une courbe épidémique (fig. 4).

---

4. Ou plus exactement de densité de population.

Pour tracer $d\mathrm{R}/dt$, ils divisent (2) par (4), ce qui donne $d\mathrm{S}/d\mathrm{R} = -a\,\mathrm{S}/b$, donc $\mathrm{S}(t) = \mathrm{S}(0)\,\exp(-a\,\mathrm{R}(t)/b)$. Remplaçant ceci dans l'équation (4) en tenant compte de ce que $\mathrm{S}(t) + \mathrm{I}(t) + \mathrm{R}(t) = \mathrm{N}$, ils trouvent l'équation

$$\frac{d\mathrm{R}}{dt} = c\left[\mathrm{N} - \mathrm{R} - \mathrm{S}(0)\,\exp\left(-\frac{a}{b}\,\mathrm{R}\right)\right], \qquad (7)$$

qui ne peut être résolue explicitement. Ils parviennent néanmoins à trouver une solution approchée en remplaçant l'exponentielle par son développement limité $\exp(-x) \simeq 1 - x + x^2/2$. Ainsi, ils peuvent aussi obtenir une expression approchée pour $d\mathrm{R}/dt$. Aujourd'hui, avec l'apparition des ordinateurs, on dispose de logiciels permettant de résoudre directement l'équation différentielle (7) de manière numérique.

Pour des valeurs des paramètres a et b judicieusement choisies, la courbe obtenue est en bon accord avec les données dont McKendrick dispose sur le nombre de morts par semaine lors d'une épidémie de peste qui a frappé Bombay entre décembre 1905 et juillet 1906.

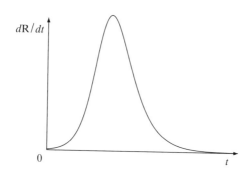

Fig. 4. *La courbe épidémique* $d\mathrm{R}/dt$ *(nombre de morts par semaine) en fonction du temps.*

Kermack et McKendrick considèrent également le modèle plus général où l'infectiosité $a(x)$ d'une personne dépend du temps x écoulé depuis l'infection et où la vitesse de passage $b(x)$ de l'état infectieux à l'état immunisé dépend aussi de x. L'équation donnant l'amplitude de l'épidémie, dans la limite où le nombre de cas initialement introduits est petit devant la taille de la population, est alors identique à (6) mais avec

$$\mathcal{R}_0 = N \int_0^\infty a(x)\, e^{-\int_0^x b(y)\, dy}\, dx. \qquad (8)$$

Le paramètre $\mathcal{R}_0$ a la même interprétation que dans le cas précédent : c'est le nombre moyen de « cas secondaires » dûs à une personne infectée au début de l'épidémie.

McKendrick prend sa retraite en 1941 et meurt en 1943. Les modèles mathématiques qu'il a développés avec Kermack sont encore à la base de la plupart des modèles construits de nos jours en épidémiologie.

Chapitre 19

Haldane et les mutations (1927)

John Burdon Sanderson Haldane naît en 1892 à Oxford. Son père, professeur de physiologie à l'université, le fait participer très jeune à ses activités scientifiques. Haldane fait ses études au collège d'Eton puis au New College de l'université d'Oxford à partir de 1911. Il se distingue en mathématiques la première année mais se tourne vers les lettres classiques. Ses études sont interrompues par la première guerre mondiale, pendant laquelle il sert dans l'armée britannique en France et en Irak, puis, après avoir été blessé, comme instructeur militaire en Inde. En 1915, il publie néanmoins un article sur des expériences génétiques sur les souris entreprises avant la guerre. En 1919, il devient *fellow* de New College ; il enseigne la physiologie et étudie la respiration comme son père. En 1923, il rejoint le laboratoire de biochimie de F. G. Hopkins[1] à l'université de Cambridge. Il y fait des découvertes sur la cinétique chimique des enzymes. Parallèlement, il publie un livre de science-fiction, *Daedalus or Science and the Future* (1923), et un essai intitulé *Callinicus, A Defence of Chemical Warfare* (1925). De 1924 à 1934, il écrit une importante série de dix articles intitulée *A mathematical theory of natural and artificial selection*.

Dans le cinquième article de la série, publié en 1927, Haldane reprend un modèle étudié par Fisher en 1922, un modèle qui fait intervenir les mutations. Fisher s'était intéressé en particulier à la probabilité pour qu'un gène mutant se maintienne ou disparaisse dans une population. Formellement, ce problème est identique

---

1. Frederick Gowland Hopkins, prix Nobel de physiologie et médecine en 1929 pour la découverte des vitamines.

Fig. 1. *J. B. S. Haldane.*

à celui rencontré par Bienaymé puis par Galton et Watson concernant le maintien ou la disparition d'un nom de famille mais Fisher semble ne pas connaître ces travaux[2]. Comme au chapitre 12, notons p_k la probabilité qu'un gène soit transmis d'un individu à k de ses descendants de première génération ($k \geqslant 0$). Fisher introduit comme Watson la fonction

$$f(x) = p_0 + p_1 x + p_2 x^2 + \cdots,$$

mais aucune limite supérieure au nombre k n'étant fixée a priori, la somme comporte une infinité de termes : on dit que c'est la « série génératrice » de la suite p_k. Fisher se rend compte également comme Watson qu'en partant d'un seul individu avec le gène mutant à la génération 0, la probabilité pour que ce gène se retrouve chez k individus de la génération n est donnée par le coefficient de x^k dans le développement en série de la fonction

2. L'article de Galton et Watson était pourtant reproduit en appendice du livre publié par Galton en 1889, *Natural Inheritance*, un livre que Fisher a certainement lu.

f_n définie par la relation de récurrence $f_n(x) = f(f_{n-1}(x))$, avec $f_1(x) = f(x)$.

Comme exemple, Fisher considère le cas d'une plante avec un gène mutant pouvant donner N graines, chacune ayant une probabilité q de survie jusqu'à l'âge de reproduction. Dans ce cas, la distribution de probabilités (p_k) est binomiale[3] :

$$p_k = C_N^k q^k (1-q)^{N-k}$$

pour $0 \leqslant k \leqslant N$ et $p_k = 0$ pour $k > N$. La série génératrice est alors égale à $f(x) = (1 - q + q x)^N$. Lorsque N est grand et q petit et si l'on note $m = N q$ le nombre moyen de graines atteignant l'âge de reproduction, on a alors approximativement

$$f(x) = \left(1 + \frac{m}{N}(x - 1)\right)^N \simeq e^{m(x-1)}.$$

La distribution de probabilités (p_k) s'approche ainsi de

$$e^{-m} m^k / k!,$$

qui est appelée distribution de Poisson[4]. Fisher peut calculer à partir de ces hypothèses la probabilité $x_n = f_n(0)$ que le gène ait disparu à la génération n : $x_0 = 0$ et $x_{n+1} = f(x_n) = e^{m(x_n-1)}$. Avec les valeurs $N = 80$ et $q = 1/80$ (d'où $m = N q = 1$), il observe numériquement que x_n tend vers 1 mais que $x_{100} \simeq 0,98$: *un gène mutant sans avantage sélectif ($m = 1$) finira par disparaître mais peut se maintenir très longtemps*. Ainsi, il a encore 2% de chance de s'être maintenu dans la population au bout de 100 générations. En 1922, Fisher ne poursuit pas plus loin l'étude de cet exemple.

Reprenant le travail de Fisher en 1927, Haldane remarque que quelle que soit la distribution de probabilités (p_k) (pourvu seulement que $p_0 > 0$), l'équation $x = f(x)$ a exactement deux

---

3. Rappelons que $C_N^k = \frac{N!}{k!(N-k)!} = \frac{N(N-1)\cdots(N-k+1)}{k(k-1)\cdots 1}$.
4. Du nom du mathématicien Siméon-Denis Poisson.

racines dans l'intervalle $[0, 1]$ lorsque le nombre moyen de descendants auquel le gène est transmis est strictement supérieur à 1, c'est-à-dire lorsque le gène a un avantage sélectif. De plus, la probabilité d'extinction x_∞, qui est la limite quand $n \to +\infty$ de x_n, est la plus petite racine de l'équation $x = f(x)$ dans l'intervalle $[0, 1]$: le gène a des probabilités non nulles de s'éteindre et de s'établir dans la population.

En effet, $f'(x) \geqslant 0$ et $f''(x) \geqslant 0$ sur cet intervalle. Autrement dit, la fonction $f(x)$ est croissante et convexe, avec $f(1) = 1$. Donc si $f(0) > 0$ et $f'(1) = p_1 + 2p_2 + 3p_3 + \cdots > 1$, l'équation $f(x) = x$ a exactement deux solutions dans l'intervalle $[0, 1]$: $x = 1$ et x^* avec $0 < x^* < 1$ (fig. 2b, p. 72). Haldane se réfère alors à un article de Gabriel Koenigs paru en 1883, dans lequel était notamment montré que si $x_{n+1} = f(x_n)$ et $x_n \to x_\infty$, alors $x_\infty = f(x_\infty)$ et $|f'(x_\infty)| \leqslant 1$. Comme $f'(1) > 1$, la seule possibilité est que $x_\infty = x^*$.

C'est la même conclusion que celle à laquelle Bienaymé était arrivé en 1845 mais cette fois-ci, il y a une justification ! Noter aussi que c'est ce cas avec $f'(1) > 1$ qui avait été traité de manière erronée par Watson.

Pour le cas où $f(x) = e^{m(x-1)}$ avec $m = f'(1)$ très légèrement supérieur à 1, la probabilité d'extinction x_∞ sera également très proche de 1. L'équation $f(x_\infty) = x_\infty$ est alors équivalente à

$$m(x_\infty - 1) = \log x_\infty \simeq (x_\infty - 1) - \frac{(x_\infty - 1)^2}{2} + \cdots,$$

d'où $x_\infty \simeq 1 - 2(m - 1)$.

Sans citer Haldane, Fisher prend comme exemple dans son livre de 1930 le cas où $m = 1{,}01$, soit un avantage sélectif de 1 % pour le gène mutant. *La probabilité pour que ce gène s'établisse dans la population est alors égale au double de l'avantage sélectif* : $1 - x_\infty \simeq 2(m - 1) \simeq 2\,\%$.

Haldane devient *fellow* de la Royal Society en 1932 et quitte

Cambridge pour devenir professeur de génétique puis de biométrie à University College à Londres. Il s'intéresse alors spécialement à la génétique humaine : estimation de taux de mutation, cartographie des gènes sur les chromosomes... À côté de ses livres scientifiques (*Animal Biology* en 1927 avec Julian Huxley, *Enzymes* en 1930, *The Causes of Evolution* en 1932, *The Biochemistry of Genetics* en 1954), il publie de nombreux articles sur la science dans la presse (notamment sur l'origine de la vie) et des essais (*The Inequality of Man* en 1932, *The Philosophy of a Biologist* en 1935, *The Marxist Philosophy and the Sciences* en 1938, *Heredity and Politics* en 1938, *Science Advances* en 1947). Après plusieurs visites en Espagne pendant la guerre civile, il milite dans son pays pour la construction d'abris contre les bombardements aériens. Pendant la deuxième guerre mondiale, il étudie pour la marine les problèmes de respiration dans les sous-marins. Devenu membre du parti communiste en 1942, il le quitte en 1950 à cause du rejet pour des raisons idéologiques de la théorie de Mendel en URSS (c'est « l'affaire Lyssenko »). En 1957, il s'installe en Inde et y continue ses recherches d'abord à l'Indian Statistical Institute de Calcutta puis à Bhubaneswar. Devenu citoyen indien, il meurt en 1964.

Chapitre 20

Le modèle de Fisher et Wright (1930)

Sewall Wright naît dans le Massachusetts aux États-Unis en 1889. Son père est enseignant. Après une maîtrise de biologie à l'université de l'Illinois à Urbana, Wright fait de 1912 à 1915 une thèse à l'université de Harvard sur l'hérédité de la couleur chez les cochons d'Inde. Il travaille ensuite pour le Department of Agriculture et s'intéresse notamment au calcul du coefficient de consanguinité. En 1926, il rejoint le département de zoologie de l'université de Chicago.

Fig. 1. *Sewall Wright.*

Entre 1929 et 1930, Wright écrit un long article intitulé *Evolution in mendelian populations*. Il y étudie en particulier un modèle qui apparaît également de manière implicite dans le livre que Fisher prépare cette même année 1930, *The Genetical*

Theory of Natural Selection (cf. chap. 15). Comme pour la loi de Hardy-Weinberg, ce modèle traite le cas de deux allèles A et *a* mais sans supposer la population infiniment grande. Il s'agit de voir comment cette restriction influe sur la composition génétique de la population. Soit donc N le nombre total d'individus, un nombre supposé constant au fil du temps. Chaque individu possédant deux allèles, il y a donc au total 2N allèles dans la population à chaque génération. Le modèle suppose également que les accouplements se font au hasard dans la population. S'il y a i allèles A et $2N - i$ allèles a à la génération n, alors un allèle pris au hasard chez un individu de la génération $n + 1$ sera l'allèle A avec la probabilité $\frac{i}{2N}$ et l'allèle a avec la probabilité $\frac{2N-i}{2N}$. Le nombre d'allèles A à la génération $n + 1$ sera donc égal à j avec une probabilité

$$p_{i,j} = C_{2N}^{j} \left(\frac{i}{2N}\right)^{j} \left(1 - \frac{i}{2N}\right)^{2N-j}. \qquad (1)$$

Notons X_n le nombre d'allèles A à la génération n : c'est une variable aléatoire (fig. 2). On peut montrer que l'espérance de

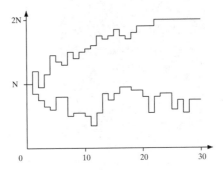

Fig. 2. *Deux simulations montrant les variations du nombre X_n d'allèles A au cours de 30 générations si N = 20 et si $X_0 = 10$.*

X_{n+1} sachant que $X_n = i$ est égale à i : cela rappelle la loi de Hardy-Weinberg où la fréquence de l'allèle A restait constante au cours des générations.

En effet, on voit que si l'on pose

$$f(x) = \sum_{j=0}^{2N} p_{ij} \, x^j = \left(1 - \frac{i}{2N} + \frac{ix}{2N}\right)^{2N},$$

alors l'espérance de X_{n+1} est

$$\sum_{j=0}^{2N} j \, p_{i,j} = f'(1) = i.$$

Cependant, il se peut dans ce modèle que par le simple effet du hasard, partant d'une situation initiale $X_0 = i$ avec $0 < i < N$, on ait $X_n = 0$ au bout d'un certain nombre de générations. Mais alors, il n'y a plus que l'allèle a dans la population donc X_n restera égal à 0 pour toutes les générations ultérieures. De même avec l'allèle A si $X_n = 2N$ au bout d'un certain nombre de générations. Ainsi, lorsque la population est supposée infiniment grande comme dans le modèle de Hardy-Weinberg, les allèles ne peuvent disparaître car leurs fréquences restent constantes. Lorsqu'on tient compte de la taille de la population comme dans le modèle de Fisher et Wright, les fréquences des allèles fluctuent et l'un des allèles peut disparaître.

On peut d'ailleurs facilement calculer la probabilité Q_i pour que partant de $X_0 = i$, le système soit « absorbé » dans l'état $X = 0$. Évidemment, Q_i doit satisfaire les « conditions aux limites »

$$Q_0 = 1, \quad Q_{2N} = 0. \tag{2}$$

De plus,

$$Q_i = \sum_{j=0}^{2N} p_{i,j} \, Q_j \,, \tag{3}$$

car $p_{i,j} \, Q_j$ est la probabilité d'être absorbé par l'état $X = 0$ en partant de $X_0 = i$ et en passant par $X_1 = j$. En tenant compte de (1), on voit que $Q_i = \frac{i}{2N}$ est la solution du système (2)-(3). Ainsi, la probabilité pour que partant de i allèles A dans une population de N individus, le système évolue vers une population ne contenant que l'allèle a est égale à $\frac{i}{2N}$. De même, la probabilité pour qu'il évolue vers une population ne contenant que l'allèle A est égale à $1 - \frac{i}{2N}$.

Cependant, Fisher et Wright parviennent à montrer que le nombre de générations qui s'écoulent avant l'absorption par l'un ou l'autre de ces états extrêmes peut être très long, de l'ordre de 2N générations (fig. 3). Lorsque la population compte plusieurs millions d'individus, ce temps est tellement grand que les fréquences des allèles peuvent être considérées comme quasiment constantes, comme dans la loi de Hardy-Weinberg.

En effet, supposons qu'il y ait i_0 allèles A dans la population à la génération 0 et notons $u_i^{(n)}$ la probabilité qu'il y ait i allèles A dans la population à la génération n. Alors

$$u_j^{(n+1)} = \sum_{i=0}^{2N} u_i^{(n)} p_{i,j}$$

pour $j = 0, \ldots, 2N$. On a déjà vu que

$$u_0^{(n)} \to \frac{i_0}{2N}, \quad u_{2N}^{(n)} \to \frac{2N - i_0}{2N} \quad \text{et} \quad u_i^{(n)} \to 0$$

quand $n \to +\infty$ et $0 < i < 2N$. Wright observe que si $u_i^{(n)} = v$ pour $i = 1, \ldots, 2N - 1$, alors

$$u_j^{(n+1)} = v\, C_{2N}^j \sum_{i=1}^{2N-1} \left(\frac{i}{2N}\right)^j \left(1 - \frac{i}{2N}\right)^{2N-j} \tag{4}$$

pour $j = 1, \ldots, 2N - 1$ puisqu'alors $p_{0,j} = p_{2N,j} = 0$. Lorsque N est assez grand,

$$\frac{1}{2N} \sum_{i=1}^{2N-1} \left(\frac{i}{2N}\right)^j \left(1 - \frac{i}{2N}\right)^{2N-j} \simeq \int_0^1 x^j (1-x)^{2N-j}\, dx$$

$$= \frac{j!\,(2N-j)!}{(2N+1)!}, \tag{5}$$

la valeur de l'intégrale étant obtenue par intégrations par parties successives. En combinant (4) et (5), on arrive finalement pour $0 < j < 2N$ à

$$u_j^{(n+1)} \simeq \frac{2N}{2N+1}\, v = \left(1 - \frac{1}{2N+1}\right) u_j^{(n)}.$$

Ainsi, les probabilités $u_j^{(n)}$ pour $j = 1, \ldots, 2N - 1$ décroissent d'environ $1/2N$ à chaque génération, donc d'autant plus lentement que N est grand et quasiment pas si par exemple N est de l'ordre du million.

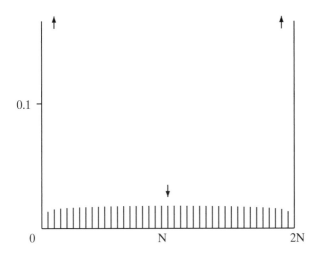

Fig. 3. *Probabilités pour qu'il y ait i allèles* A *dans la population* ($i =$ $0, \ldots, 2N$ *en abscisse) au bout de 30 générations si* $N = 20$ *et si* $X_0 = 10$.

En 1922, Fisher avait d'ailleurs déjà essayé d'estimer cette vitesse d'absorption ($1/2N$) mais s'était trompé d'un facteur 2. C'est Wright qui a fait la rectification. En tout cas, les deux scientifiques sont restés en désaccord sur l'interprétation du résultat. Wright estimait que cette « dérive génétique » due au seul hasard était importante pour l'évolution, alors que Fisher la considérait comme négligeable par rapport à la sélection naturelle. Une représentation plus complète de l'évolution s'obtient en combinant le modèle ci-dessus avec un processus de mutation comme au chapitre 19.

Wright prend sa retraite de l'université de Chicago en 1955 mais continue pendant encore cinq ans comme professeur à l'université du Wisconsin. De 1968 à 1978, il publie un traité en quatre volumes, *Evolution and the Genetics of Populations*. Il meurt en 1988 à l'âge de 98 ans.

Chapitre 21

Erlang, Steffensen et le problème de l'extinction (1930)

Agner Krarup Erlang naît en 1878 à Lønborg au Danemark. Son père est instituteur. De 1896 à 1901, Erlang étudie à l'université de Copenhague les mathématiques, la physique et la chimie. Il enseigne ensuite pendant quelques années dans des écoles mais continue à s'intéresser aux mathématiques, notamment à la théorie des probabilités. Il rencontre alors Jensen, ingénieur en chef de la compagnie du téléphone de Copenhague et mathématicien amateur, qui le convainc en 1908 de rejoindre le nouveau laboratoire de recherche de la compagnie. Erlang publie à partir de 1909 des articles sur les applications de la théorie des probabilités à la gestion des appels téléphoniques. En 1917, il découvre une formule sur les temps d'attente qui est rapidement utilisée par de nombreuses compagnies de téléphone à travers le monde. Ses articles, d'abord publiés en danois, sont alors traduits dans plusieurs langues.

En 1929, Erlang se pose la même question de l'extinction d'une lignée qu'avaient étudiée Bienaymé, Galton et Watson pour les noms de familles, puis Fisher et Haldane dans le contexte de la génétique. Mais, comme ses prédécesseurs, il n'est pas au courant des travaux déjà publiés.

Il trouve d'abord une manière plus simple d'arriver à l'équation dont est solution la probabilité d'extinction. Notons p_k la probabilité pour un individu d'avoir k enfants. La génération 0 n'étant constituée que d'un seul individu, la lignée s'éteindra au bout d'une génération avec une probabilité p_0. Maintenant, notons x_n la probabilité que la lignée s'éteigne à la génération

Fig. 1. *Agner Krarup Erlang.*

n ou avant. Pour que cet événement se soit réalisé, l'un des cas suivants s'est nécessairement présenté : soit l'ancêtre de la génération 0 n'a pas eu d'enfant (probabilité p_0) ; soit l'ancêtre a eu un seul enfant qui appartient à la génération 1 et pour lequel il ne reste aucun descendant $n - 1$ générations plus tard (probabilité x_{n-1}) ; soit l'ancêtre a eu deux enfants qui appartiennent à la génération 1 et pour chacun desquels il ne reste aucun descendant $n - 1$ générations plus tard (probabilité x_{n-1}^2), etc. Ainsi, on a bien

$$x_n = p_0 + p_1 x_{n-1} + p_2 x_{n-1}^2 + \cdots = f(x_{n-1}),$$

où $f(x)$ est la série génératrice associée à la suite (p_k). La probabilité x_∞ d'extinction de la lignée, qui est la limite de x_n quand n tend vers l'infini, est donc une solution de l'équation $x_\infty = f(x_\infty)$. Erlang avait remarqué que $x = 1$ est toujours une solution et qu'une autre solution entre 0 et 1 existe lorsque $f'(1) > 1$ mais ne semble pas être parvenu à conclure laquelle des deux solutions est la bonne. Il soumet donc le problème en 1929 à une revue danoise de mathématiques, *Matematisk Tidsskrift* :

> Soit p_k la probabilité pour qu'un nouveau-né ait k enfants ; on a évidemment $p_0 + p_1 + p_2 + \cdots = 1$. Quelle est la probabilité pour que sa descendance s'éteigne ?

Malheureusement, Erlang meurt cette même année 1929 à l'âge de 51 ans [1].

Un professeur de mathématiques actuarielles à l'université de Copenhague, Johan Frederik Steffensen, reprend et complète l'analyse d'Erlang. Il publie en 1930 dans le même journal danois la solution : la probabilité d'extinction x_∞ est toujours la plus petite solution de l'équation $x = f(x)$ dans l'intervalle [0, 1].

En effet, on a vu que la probabilité d'extinction x_∞ est une solution de $x = f(x)$ dans l'intervalle [0, 1]. Maintenant, soit x^* la plus petite solution de $x = f(x)$ dans l'intervalle [0, 1]. Par définition, $x^* \leqslant x_\infty$. Steffensen remarque d'abord que $x^* = f(x^*) \geqslant p_0 = x_1$. Supposant par récurrence que $x^* \geqslant x_n$, il en déduit que $x^* = f(x^*) \geqslant f(x_n) = x_{n+1}$ puisque la fonction $f(x)$ est croissante. Ainsi, $x^* \geqslant x_n$ pour tout n. À la limite, $x^* \geqslant x_\infty$. Donc $x_\infty = x^*$. C. Q. F. D.

Reste à étudier dans quel cas la probabilité d'extinction x_∞ est égal à 1 et dans quel cas elle est différente de 1. Pour cela, posons

$$m = p_1 + 2p_2 + 3 p_3 + \cdots$$

C'est le nombre moyen d'enfants par personne : un enfant avec une probabilité p_1, deux avec une probabilité p_2, etc. Comme

$$f'(x) = p_1 + 2 p_2 x + 3 p_3 x^2 + \cdots,$$

on voit que $m = f'(1)$ est la pente de la fonction $f(x)$ en $x = 1$.

---

1. Pour lui rendre hommage, le Comité consultatif international des communications téléphoniques à grande distance décidera en 1946 de nommer « erlang » l'unité de mesure de l'intensité du trafic téléphonique.

Steffensen remarque que

$$1 - x_\infty = 1 - f(x_\infty) = 1 - p_0 - \sum_{k=1}^{+\infty} p_k\, x_\infty^k = \sum_{k=1}^{+\infty} p_k\,(1 - x_\infty^k)$$

ou, après division par $1 - x_\infty$ (dans le cas $x_\infty \neq 1$),

$$1 = p_1 + p_2(1 + x) + p_3(1 + x + x^2) + \cdots. \qquad (1)$$

Puisque x varie entre 0 et 1 et que le second membre de l'équation (1) est une fonction croissante de x, on voit que deux cas peuvent se présenter, suivant que m est supérieur ou inférieur à 1.

Si $m \leqslant 1$, il n'y a alors pas de solution de l'équation $x = f(x)$ telle que $0 \leqslant x < 1$ (fig. 2a). Dans ce cas, $x_\infty = 1$ et la lignée s'éteindra effectivement à coup sûr. L'interprétation est simple lorsque $m < 1$. En effet, si chaque individu a en moyenne moins d'un enfant, il semble naturel que la lignée disparaisse. Le cas critique $m = 1$ est plus difficile à interpréter.

Si au contraire $m > 1$, alors l'équation $x = f(x)$ a exactement une solution $0 < x < 1$, qui est x_∞ (fig. 2b). La lignée s'éteindra avec la probabilité x_∞. Le problème du calcul de la probabilité d'extinction est ainsi complètement résolu.

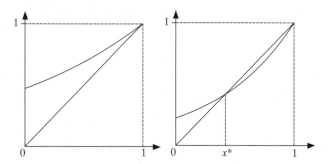

Fig. 2. *Graphes de la bissectrice* $y = x$ *et de la fonction* $y = f(x)$ *dans l'exemple du chapitre 19 :* $f(x) = e^{m(x-1)}$ *avec* $m = 0,75 < 1$ *(en haut) et* $m = 1,5 > 1$ *(en bas).*

Steffensen, qui est aussi président de la Société des actuaires et de la Société mathématique du Danemark, est invité à l'université de Londres en 1930. Son collègue W. P. Elderton lui signale le travail antérieur de Galton et Watson. En 1933, Steffensen publie donc un nouvel article en français dans les annales de l'Institut Henri Poincaré où il avait donné une conférence en 1931. Il y reprend les résultats de son article en danois et les compare avec ceux de Watson. Il démontre notamment que l'espérance du nombre de descendants à la génération n est égale à m^n.

En effet, notons $p_k^{(n)}$ la probabilité qu'il y ait k descendants à la génération n. Dans son article de 1930, Steffensen avait déjà remarqué comme Watson que si on introduit la série génératrice

$$f_n(x) = \sum_{k=0}^{+\infty} p_k^{(n)} x^k$$

relative à la génération n, alors $f_1(x) = f(x)$ et

$$f_{n+1}(x) = f(f_n(x)). \tag{2}$$

Notons M_n l'espérance du nombre de descendants à la génération n. Alors

$$M_n = \sum_{k=1}^{+\infty} k\, p_k^{(n)} = f_n'(1).$$

Or si on dérive la relation de récurrence (2), on trouve la relation $f_{n+1}'(x) = f'(f_n(x)) \times f_n'(x)$. Donc $M_{n+1} = f_{n+1}'(1) = f'(f_n(1)) \times f_n'(1) = f'(1) \times M_n = m \times M_n$. Comme $M_1 = f_1'(1) = f'(1) = m$, on en déduit la formule $M_n = m^n$.

Ainsi, le nombre moyen de descendants croît ou décroît de manière géométrique suivant que m est plus grand ou plus petit que 1. L'espérance du nombre de descendants se comporte donc comme dans les modèles complètement déterministes de croissance géométrique étudiés par Euler, Malthus... Cependant, même lorsque $m > 1$, il y a une probabilité x_∞ non nulle que la lignée s'éteigne, ce qui n'arrive pas dans les modèles déterministes.

Le processus stochastique étudié par Steffensen et ses prédécesseurs a par la suite servi d'élément de base à de nombreux modèles plus réalistes de dynamique des populations. Il en sera encore un peu question au chapitre 23. Quant à Steffensen, il reste professeur à l'université de Copenhague jusqu'en 1943 et meurt en 1961.

Chapitre 22

Volterra et la « théorie mathématique de la lutte pour la vie » (1931)

Vito Volterra naît en 1860 à Ancône dans les États pontificaux, peu de temps avant l'unification de l'Italie. Il est enfant unique. Son père, marchand de tissus, meurt lorsqu'il a deux ans laissant la famille sans argent. Excellent élève au lycée, Volterra parvient à poursuivre ses études malgré la pauvreté. Il étudie à l'université de Florence puis à l'École normale supérieure de Pise. En 1882, il obtient un doctorat en physique et devient l'année suivante professeur de mécanique à l'université de Pise. En 1892, il rejoint l'université de Turin, puis devient en 1900 professeur de physique mathématique à l'université La Sapienza à Rome. En 1905, il est nommé sénateur. Il publie à cette époque plusieurs livres : *Leçons sur les équations intégrales et les équations intégro-différentielles* (1913), *Leçons sur les fonctions de lignes* (1913). Il s'engage comme officier dans l'armée italienne durant la première guerre mondiale et dirige notamment le bureau des inventions de guerre. Après la guerre, il publie en collaboration avec J. Pérès des *Leçons sur la composition et les fonctions permutables* (1924).

En 1925, Volterra s'intéresse à l'étude réalisée par le zoologiste Umberto D'Ancona, son futur gendre, sur la proportion de poissons sélaciens [1] dans la pêche débarquée pendant la période 1905-1923 dans trois ports de la mer Adriatique : Trieste, Fiume et Venise. D'Ancona a constaté que la part de ces poissons est plus importante pendant la première guerre mondiale où la pêche est moins intense (tableau 1). Les poissons sélaciens

---

1. Poissons cartilagineux tels que les requins, les raies, etc.

Fig. 1. *Vito Volterra.*

	1910	1911	1912	1913	1914	1915
Trieste	5,7	8,8	9,5	15,7	14,6	7,6
Fiume	-	-	-	-	11,9	21,4

1916	1917	1918	1919	1920	1921	1922	1923
16,2	15,4	-	19,9	15,8	13,3	10,7	10,2
22,1	21,2	36,4	27,3	16	15,9	14,8	10,7

Tab. 1. *Pourcentage de poissons sélaciens dans la pêche à Trieste et Fiume avant, pendant et après la première guerre mondiale.*

se nourrissant d'autres poissons qui eux-mêmes se nourrissent de plancton, il semble donc qu'une diminution de l'effort de pêche favorise les espèces prédatrices. Volterra, qui ne connaît pas le travail de Lotka, propose d'expliquer ce fait avec le même modèle

$$\frac{dx}{dt} = a\,x - b\,x\,y$$
$$\frac{dy}{dt} = -c\,y + d\,x\,y\,,$$

que l'on a déjà vu au chapitre 17, avec les notations $x(t)$ pour le nombre de proies et $y(t)$ pour le nombre de prédateurs. Il remarque comme Lotka que ce système oscille de manière périodique avec une période T qui dépend de la condition initiale (x_0, y_0). Il note aussi que

$$\frac{d}{dt}\log x = a - b\,y, \quad \frac{d}{dt}\log y = -c + d\,x.$$

En intégrant sur la période T (de sorte que $x(0) = x(\mathrm{T})$ et $y(0) = y(\mathrm{T})$), il obtient

$$\frac{1}{\mathrm{T}}\int_0^{\mathrm{T}} y(t)\,dt = \frac{a}{b}\,, \quad \frac{1}{\mathrm{T}}\int_0^{\mathrm{T}} x(t)\,dt = \frac{c}{d}\,.$$

Ainsi, les moyennes sur une période des nombres d'individus des deux espèces sont indépendantes des conditions initiales. De plus, si l'effort de pêche diminue, le taux de croissance a des proies va augmenter, tandis que c va diminuer. Par conséquent, la moyenne de $x(t)$ va diminuer et celle de $y(t)$ augmenter : il y aura bien proportionnellement plus de prédateurs. C'est ce qui a été constaté statistiquement pour la pêche dans la mer Adriatique.

Volterra publie ses résultats dans un article en italien en 1926. Un résumé paraît quelques mois plus tard en anglais dans la revue *Nature*. À partir de ce moment, Lotka essayera de faire valoir la priorité de son étude des systèmes proies-prédateurs, mais son article de 1920 et son livre de 1925 ne seront pas toujours mentionnés par la suite. Car alors que Lotka retourne vers l'étude de la démographie du point de vue mathématique (il travaille pour une compagnie d'assurance), Volterra continuera pendant environ une décennie à écrire sur le thème des systèmes proies-prédateurs. Volterra donne ainsi une série de conférences à Paris au nouvel Institut Henri Poincaré en 1928-1929. Ce sont les notes de ces cours qui sont publiés en 1931 en français avec le titre *Leçons sur la théorie mathématique de la lutte pour la vie*. En 1935, il publiera en collaboration avec Umberto d'Ancona un autre livre, également en français, intitulé *Les associations biologiques au point de vue mathématique*.

Bien que le modèle proposé semble « expliquer » correctement les données sur la pêche, le débat sur le réalisme de ce type de modèle très simple en écologie ne fait alors que commencer et se poursuit encore actuellement. Aujourd'hui, le modèle est connu sous le nom de modèle de Lotka-Volterra.

En 1931, refusant de prêter allégeance à Mussolini, Volterra perd son poste à l'université de Rome puis est exclu des académies scientifiques italiennes. À partir de cette époque, il reste peu en Italie et voyage à travers l'Europe donnant des conférences. Il publie encore en collaboration avec J. Pérès le premier volume d'une *Théorie générale des fonctionnelles* (1936) et un livre avec B. Hostinský sur les *Opérations infinitésimales linéaires* (1938). Il meurt à Rome en 1940.

Chapitre 23

La diffusion des gènes (1937)

En 1937 paraissent deux articles où la dimension géographique des problèmes de dynamique des populations est prise en compte. Fisher publie le premier dans la revue *Annals of Eugenics* avec pour titre *The wave of advance of advantageous genes*. Il y étudie la propagation spatiale d'un gène favorable dans une population. Imaginant pour simplifier un espace réduit à une seule dimension, il note $u(x, t)$ la proportion de la population située au point x à l'instant t qui possède le gène favorable. Pour tenir compte de la sélection naturelle, il considère tout d'abord l'analogue de l'équation (6) du chapitre 15 lorsque le temps est une variable continue :

$$\frac{\partial u}{\partial t} = a \, u \, (1 - u),$$

où a est un paramètre positif. Pour une valeur de x fixée, on reconnaît l'équation logistique de Verhulst (cf. chap. 9), avec une solution $u(x, t)$ qui tend vers 1 quand $t \to +\infty$. Par ailleurs, Fisher suppose que les descendants d'un individu situé en x porteur du gène favorable ne restent pas au même point x mais se dispersent de manière aléatoire dans le voisinage de x. Par analogie avec la physique, il en déduit qu'il faut ajouter un terme de « diffusion » à l'équation pour $u(x, t)$, ce qui conduit à l'équation aux dérivées partielles

$$\frac{\partial u}{\partial t} = a \, u \left(1 - u\right) + d \, \frac{\partial^2 u}{\partial x^2} \,. \tag{1}$$

Lorsque le coefficient de sélection a est nul, on retrouve « l'équation de la chaleur » introduite par Joseph Fourier en 1807.

Fisher montre que des solutions de l'équation (1) de la forme

$$u(x,t) = f(x - v\,t)$$

et telles que $u(x,t) \to 1$ quand $x \to -\infty$ et $u(x,t) \to 0$ quand $x \to +\infty$ (connectant l'état d'équilibre avec le gène favorable $u = 1$ à l'état d'équilibre sans gène favorable $u = 0$) peuvent exister pour tout $v \geqslant v^*$, où

$$v^* = 2\sqrt{a\,d}\,.$$

Ces solutions représentent des ondes se propageant à la vitesse v dans les sens des x croissants si $v > 0$. En effet, $u(x + v\,\mathrm{T}, t + \mathrm{T}) = u(x,t)$: l'onde qui se trouvait à la position x à l'instant t se retrouve à la position $x + v\,\mathrm{T}$ à l'instant $t + \mathrm{T}$.

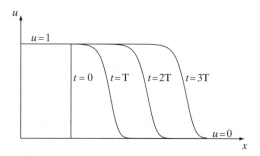

Fig. 1. *Propagation d'un gène favorable à la vitesse v^*.*

En effet, posant $z = x - v\,t$, Fisher voit que si $u(x,t) = f(x - v\,t)$, alors $\frac{\partial u}{\partial t} = -v\,f'(z)$, $\frac{\partial u}{\partial x} = f'(z)$ et $\frac{\partial^2 u}{\partial x^2} = f''(z)$. Si de plus u est une solution de l'équation (1), alors

$$-v\,f'(z) = a\,f(z)\,(1 - f(z)) + d\,f''(z)\,. \qquad (2)$$

Loin de la zone où u prend des valeurs notablement différentes de 0, c'est-à-dire quand $z \to +\infty$, Fisher s'attend à ce que $f(z) \to 0$ et $f'(z) \to 0$. Notant K la limite de $f'(z)/f(z)$ quand $z \to +\infty$ (K < 0), on sait d'après la règle dite de L'Hospital que $f''(z)/f'(z)$ tendra aussi vers K quand

$z \rightarrow +\infty$. Par conséquent, $f''(z)/f(z) = [f''(z)/f'(z)] \times [f'(z)/f(z)]$ tendra vers K^2. Divisant l'équation (2) par $f(z)$ et faisant tendre z vers l'infini, on arrive à l'équation du second degré en K

$$d\,K^2 + v\,K + a = 0\,.$$

Or K est un nombre réel, donc le discriminant de l'équation doit être positif : $v^2 - 4\,a\,d \geqslant 0$, soit $v \geqslant 2\sqrt{a\,d} = v^*$. Ainsi, $v \geqslant v^*$ est une condition nécessaire à l'existence d'une onde se propageant à la vitesse v. La démonstration que c'est une condition suffisante est un peu plus délicate.

En fait, Fisher explique que c'est l'onde dont la vitesse est exactement égale à v^* qui est sélectionnée pour une large classe de conditions initiales, par exemple pour la condition initiale en escalier : $u(x, 0) = 1$ pour $x < 0$, $u(x, 0) = 0$ pour $x \geqslant 0$. La figure 1 montre comment cette condition initiale discontinue se transforme progressivement en une onde lisse se déplaçant dans le sens des x croissants à la vitesse v^*.

La même année 1937 et indépendamment du travail de Fisher, un article de Kolmogorov écrit en collaboration avec Petrovsky et Piskounov traitant du même problème de propagation d'un gène dominant paraît dans le bulletin de l'université d'état de Moscou. Cet article a pour origine les contacts entre Kolmogorov et A. S. Serebrovski, un pionnier de la génétique des populations à l'université de Moscou.

Andrei Nikolaevich Kolmogorov est né en 1903 à Tambov en Russie. Sa mère étant morte à sa naissance, il est élevé par une tante et prend le nom de famille de son grand-père maternel. À partir de 1910, il va à l'école à Moscou. Pendant la période troublée qui suit la révolution d'octobre 1917, Kolmogorov doit quitter le lycée pour aider à la construction d'un chemin de fer. En 1920, il entre néanmoins à l'université de Moscou et suit les cours et séminaires de mathématiques. Encore étudiant, il est déjà célèbre pour ses travaux sur les séries trigonométriques et sur le calcul des probabilités. Il devient chercheur à l'Institut de mathématiques et mécanique en 1929, puis professeur à l'université en 1931. En 1930-1931, il visite également les principaux centres mathématiques en Allemagne et en France. Cette même année 1931, il publie un important travail sur les processus stochastiques en temps continu et leurs liens avec les équations différentielles (dans le cas d'un espace discret) et les équations aux dérivées partielles de diffusion (dans le cas d'un espace continu). En 1933, il publie en allemand un traité fondamental sur l'axiomatisation du calcul des probabilités. Il travaille alors sur plusieurs sujets simultanément : topologie, approximation des fonctions, chaînes de Markov, mouvement brownien... En 1936, Kolmogorov publie en italien un premier article sur la dynamique des populations et les équations de Lotka-Volterra. Il y considère plus généralement les systèmes d'équations différentielles de la forme

$$\frac{dx}{dt} = x\,f(x, y), \quad \frac{dy}{dt} = y\,g(x, y)$$

avec un certain nombre d'hypothèses sur la forme des fonctions $f(x, y)$ et $g(x, y)$.

Fig. 2. *Andrei Nikolaevich Kolmogorov.*

Dans l'article de 1937 intitulé *Étude de l'équation de la diffusion avec croissance de la quantité de matière et son application*

à un problème biologique, Kolmogorov, Petrovsky et Piskounov considèrent de manière générale les équations aux dérivées
partielles de la forme

$$\frac{\partial u}{\partial t} = F(u) + d\,\frac{\partial^2 u}{\partial x^2}$$

pour la fréquence $u(x, t)$ du gène dominant au point x à l'instant t. La fonction $F(u)$ est supposée satisfaire les conditions :

$F(0) = F(1) = 0$;

$F(u) > 0$ si $0 < u < 1$;

$F'(0) > 0$;

$F'(u) < F'(0)$ si $0 < u \leqslant 1$.

Ils démontrent un résultat analogue à celui de Fisher mais d'une
manière plus rigoureuse : si la condition initiale est telle que
$0 \leqslant u(x, 0) \leqslant 1$, $u(x, 0) = 1$ pour tout $x < x_1$ et $u(x, 0) = 0$
pour tout $x > x_2 \geqslant x_1$, alors le gène se propage à la vitesse
$v^* = 2\sqrt{F'(0)\,d}$.

Notons que la fonction $F(u) = a\,u\,(1 - u)$ choisie par Fisher
vérifie toutes ces conditions et que $F'(0) = a$, ce qui redonne
bien la même vitesse v^*. S'inspirant de l'équation (5) du chapitre 15, Kolmogorov, Petrovsky et Piskounov proposent la fonction $F(u) = a\,u\,(1 - u)^2$, qui vérifie également les conditions et
donne la même vitesse de propagation (fig. 3).

Les articles de Fisher et de Kolmogorov, Petrovsky et Piskounov ont été le point de départ pour la construction de nombreux
modèles avec diffusion géographique dans les domaines de la
génétique, de l'écologie, de l'épidémiologie et même de l'ar-
chéologie (une étude s'intéresse par exemple à la diffusion de
l'agriculture au cours de la préhistoire). Ces modèles sont connus
sous le nom de « systèmes de réaction-diffusion ».

Quant à Kolmogorov, il étudie à son tour à partir de 1938
le problème de l'extinction déjà considéré par Bienaymé, Galton, Watson, Fisher, Haldane, Erlang et Steffensen : il nomme

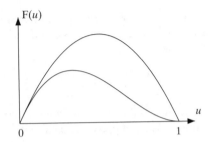

Fig. 3. *Les fonctions* $F(u) = a\,u\,(1-u)$ *(au dessus) et* $F(u) = a\,u\,(1-u^2)$ *(en dessous) choisies respectivement par Fisher et par Kolmogorov, Petrovsky et Piskounov.*

« processus de branchement » le type de processus commun à toutes ces études. En 1939, il devient membre de l'Académie des sciences de l'URSS. Il fait par la suite encore des contributions importantes au problème de la turbulence en mécanique des fluides (1941), à la théorie des perturbations des systèmes dynamiques hamiltoniens intervenant par exemple en mécanique céleste (1953), à la théorie de l'information (à partir de 1956) et à l'analyse statistique de textes poétiques. Il publie une monographie sur les *Distributions limites pour les sommes de variables aléatoires indépendantes* en collaboration avec Gnedenko (1949). Il participe aussi à la rédaction d'une encyclopédie, de manuels scolaires et universitaires, s'occupe activement d'un lycée expérimental et édite un périodique de vulgarisation scientifique. Ayant reçu de nombreux prix (prix Balzan en 1963, prix Wolf en 1980...), il meurt à Moscou en 1987.

Chapitre 24

Lotka et la démographie (1939)

Après la publication de son premier livre *Physical Biology* en 1925 (cf. chap. 17), Lotka accepte un poste de responsable de la recherche dans une compagnie d'assurance, la Metropolitan Life Insurance Company à New York. Il se consacre désormais à l'analyse mathématique des questions démographiques et publie plusieurs livres en collaboration avec son collègue statisticien et vice-président de la compagnie, Louis Israel Dublin : *The Money Value of a Man* (1930), *Length of Life* (1936), *Twenty Five years of Health Progress* (1937). En 1938-1939, il est président de la Population Association of America.

Il publie également en français une *Théorie analytique des associations biologiques*. La première partie, plus philosophique, paraît en 1934. La deuxième partie, plus technique, paraît en 1939 et fait la synthèse de ses recherches dans le domaine de la démographie humaine depuis son premier article paru en 1907.

En 1911, Lotka avait notamment repris l'étude effectuée par Euler de la dynamique d'une population structurée par l'âge (cf. chap. 4), étude dont il n'était apparemment pas au courant à cette époque, mais en prenant le temps comme une variable continue. Il note $B(t)$ le nombre de naissances par unité de temps à l'instant t, $p(x)$ la probabilité de survivre jusqu'à l'âge x et $h(x)$ la fécondité d'un individu d'âge x (c'est-à-dire le nombre d'enfants par unité de temps). Ainsi, l'intégrale

$$\int_0^\infty p(x)\,dx$$

est l'espérance de vie à la naissance. Par ailleurs, pour tout $x > 0$ et dx infiniment petit, $B(t-x)\,p(x)\,dx$ est le nombre d'individus nés à l'instant $t - x$ à dx près qui survivent jusqu'à l'instant t. Ceux-ci donnent naissance à $B(t - x)\,p(x)\,h(x)\,dx$ nouveaux individus par unité de temps à l'instant t. Donc le nombre total de naissance par unité de temps à l'instant t est

$$B(t) = \int_0^\infty B(t - x)\,p(x)\,h(x)\,dx.$$

Cherchant une solution de cette équation intégrale dont l'inconnue est $B(t)$ sous la forme $B(t) = b\,e^{rt}$, Lotka obtient en divisant chaque côté par $B(t)$ l'équation

$$1 = \int_0^\infty e^{-rx}\,p(x)\,h(x)\,dx\,, \tag{1}$$

qui est parfois appelée aujourd'hui « équation de Lotka »[1]. Euler avait obtenu l'équation implicite analogue (1) du chapitre 4 dans le cas où le temps est une variable discrète. Lotka remarque que le membre de droite de (1) est une fonction décroissante de r qui tend vers $+\infty$ quand $r \to -\infty$ et qui tend vers 0 quand $r \to +\infty$. Il existe donc une unique valeur de r, notée r^*, telle que l'égalité (1) soit vérifiée. On remarque d'ailleurs que $r^* > 0$ si et seulement si

$$\mathscr{R}_0 = \int_0^\infty p(x)\,h(x)\,dx > 1 \tag{2}$$

et que $\mathscr{R}_0$ est le nombre moyen d'enfants auquel donne naissance un individu au cours de sa vie (cf. les formules analogues (2) du chapitre 14 et (8) du chapitre 18).

Lotka suggère[2] que quelle que soit la structure initiale par âge de la population, le nombre de naissances par unité de temps

---

1. Fisher est arrivé indépendamment à cette même équation en 1927, interprétant par la suite r^* comme une mesure du concept de *fitness* dans la théorie de l'évolution.

2. Cela sera prouvé rigoureusement en 1941 par William Feller, alors professeur de mathématiques à Brown University aux États-Unis.

est tel que $B(t) \simeq b \, e^{r^*t}$ pour une certaine valeur de b lorsque $t \to +\infty$. La population totale $P(t)$ étant donnée par

$$P(t) = \int_0^\infty B(t-x) \, p(x) \, dx \, ,$$

il en résulte aussi que $P(t)$ croît ou décroît comme e^{r^*t} lorsque $t \to +\infty$: le taux de croissance est égal à r^*. De plus, la structure par âge de la population, donnée par $B(t-x) \, p(x)/P(t)$ tend vers

$$\frac{e^{-r^*x} \, p(x)}{\int_0^\infty e^{-r^*y} \, p(y) \, dy} \, .$$

C'est ce que Lotka appelle une population stable : la pyramide des âges garde la même forme mais la population totale croît ou décroît exponentiellement. La conclusion est donc la même que dans le modèle en temps discret d'Euler. Cependant, l'étude de Lotka prend en compte la dépendance de la fécondité par rapport à l'âge, ce que n'avait pas fait Euler.

Dans son livre de 1939, Lotka reprend également sa contribution au problème de l'extinction des familles. Suite au premier article publié en danois en 1930 par Steffensen, Lotka avait appliqué la théorie aux données contenues dans le recensement de 1920 de la population blanche des États-Unis. Il avait remarqué en particulier que la distribution $(p_k)_{k \geqslant 0}$ du nombre de fils est assez bien approchée par une loi géométrique décroissante à partir de $k \geqslant 1$:

$$p_0 = a, \quad p_k = b \, c^{k-1} \ (k \geqslant 1),$$

avec $a = 0,482\,5$, $b = 0,212\,6$ et $c = 1 - b/(1-a)$ de sorte que $\sum_{k \geqslant 0} p_k = 1$. La série génératrice associée à cette distribution est

$$f(x) = a + b \sum_{k=1}^{+\infty} c^{k-1} \, x^k = a + \frac{b \, x}{1 - c \, x}.$$

Les deux solutions de l'équation $x = f(x)$ sont $x = 1$ et $x = a/c$. La probabilité d'extinction x_∞ est la plus petite de ces deux solutions (cf. chap. 21). Avec les valeurs numériques des États-Unis, on trouve $x_\infty \simeq 0{,}819$. Le nombre moyen de fils est $m = f'(1) = (1-a)^2/b \simeq 1{,}260$.

Lotka est élu président de l'American Statistical Association en 1942. Il prend sa retraite en 1947 et meurt en 1949 dans le New Jersey. Une nouvelle édition de son livre de 1925 paraît en 1956 avec comme titre *Elements of Mathematical Biology*.

Chapitre 25

La matrice de Leslie (1945)

Patrick Holt Leslie naît en 1900 en Angleterre. Il étudie au collège Christ Church de l'université d'Oxford et obtient en 1921 une licence de physiologie. Gravement malade, il ne peut terminer ses études médicales. Après quelques années passées comme assistant en bactériologie au département de pathologie, il travaille à partir de 1935 comme statisticien pour le Bureau of Animal Population, un centre de recherche créé trois ans plus tôt par le spécialiste d'écologie animale Charles Elton. L'objectif de ce centre est d'étudier les fluctuations de populations animales à travers des enquêtes de terrain ou des expériences de laboratoire. La plupart des recherches portent alors sur les rongeurs : analyse des cycles du lièvre d'Amérique et de son prédateur le lynx à partir des archives de la Compagnie de la baie d'Hudson au Canada, suivi de l'expansion du territoire de l'écureuil gris aux dépens de celui de l'écureuil roux en Angleterre, recueil de données sur les campagnols dans les environs d'Oxford... Leslie applique ainsi aux données sur les campagnols les méthodes développées par Lotka en démographie humaine. Pendant la seconde guerre mondiale, les recherches du centre se concentrent sur les méthodes de lutte contre les rats et les souris, sources de perte pour les stocks de grain.

En 1945, Leslie publie son plus célèbre article dans le journal *Biometrika* qui avait été fondé par Galton, Pearson et Weldon en 1901. L'article s'intitule *On the use of matrices in certain population mathematics*. Le modèle proposé représente l'évolution du nombre de femelles dans une population animale, en l'occurrence une population de rats mais cela pourrait aussi être

Fig. 1. *Patrick Holt Leslie.*

une population humaine. La population est divisée en K + 1 classes d'âges : $P_{n,k}$ est le nombre de femelles d'âge k à l'instant n ($k = 0, 1, \ldots, K$; $n = 0, 1, \ldots$). Aucun animal ne survit au-delà de l'âge K et s_k est la probabilité qu'un animal d'âge k survive au moins jusqu'à l'âge $k + 1$. Si f_k représente le nombre de femelles auxquelles donne naissance entre les instants n et $n + 1$ chaque femelle d'âge k, alors l'évolution de la structure par âge de la population sera donnée par le système d'équations

$$\begin{cases} P_{n+1,0} = f_0\, P_{n,0} + f_1\, P_{n,1} + \cdots + f_K\, P_{n,K} \\ P_{n+1,1} = s_0\, P_{n,0} \\ P_{n+1,2} = s_1\, P_{n,1} \\ \vdots \qquad\qquad \vdots \\ P_{n+1,K} = s_{K-1}\, P_{n,K-1} \,. \end{cases}$$

Tous les nombres f_k sont positifs ou nuls alors que les s_k vérifient $0 \leqslant s_k \leqslant 1$. En mathématiques, l'habitude est venue au cours du XIXe siècle et au début du XXe siècle d'écrire ce type de système d'équations sous la forme abrégée [1]

$$P_{n+1} = M P_n \qquad (1)$$

où P_n et P_{n+1} sont des vecteurs (ici des colonnes de $K + 1$ nombres) et M est la matrice (le tableau de nombres à $K + 1$ lignes et $K + 1$ colonnes)

$$M = \begin{pmatrix} f_0 & f_1 & f_2 & \cdots & f_K \\ s_0 & 0 & 0 & \cdots & 0 \\ 0 & s_1 & 0 & \cdots & \vdots \\ \vdots & \ddots & \ddots & \ddots & \vdots \\ 0 & \cdots & 0 & s_{K-1} & 0 \end{pmatrix}.$$

Pour comprendre le comportement du système (1) au fil du temps, Leslie cherche une solution croissant ou décroissant géométriquement de la forme $P_n = r^n V$. Le nombre r et le vecteur V doivent alors vérifier l'équation

$$M V = r V. \qquad (2)$$

Dans ce cas, on dit que r est une « valeur propre » et V un « vecteur propre » de la matrice M. Autrement dit, il s'agit de trouver les distributions par âge V qui à chaque pas de temps seront multipliées par la constante r. Suivant la terminologie de Lotka, on dit que ce sont des distributions stables. Revenant aux notations plus habituelles, l'équation (2) s'écrit

$$\begin{cases} f_0 V_0 + f_1 V_1 + \cdots + f_K V_K = r V_0, \\ s_0 V_0 = r V_1, \quad s_1 V_1 = r V_2, \quad \ldots s_{K-1} V_{K-1} = r V_K. \end{cases}$$

On déduit des K dernières équations que

$$V_1 = \frac{s_0 V_0}{r}, \quad V_2 = \frac{s_0 s_1 V_0}{r^2}, \quad \ldots V_K = \frac{s_0 s_1 \cdots s_{K-1} V_0}{r^K}.$$

---

1. Cela signifie que $P_{n+1,k} = M_{k,0} P_{n,0} + M_{k,1} P_{n,1} + \cdots + M_{k,K} P_{n,K}$.

En remplaçant ceci dans la première équation, en simplifiant par V_0 qui doit être différent de 0 et en multipliant par r^K, Leslie obtient « l'équation caractéristique »

$$r^{K+1} = f_0 \, r^K + s_0 \, f_1 \, r^{K-1} + s_0 \, s_1 \, f_2 \, r^{K-2} + \cdots$$
$$+ s_0 \, s_1 \cdots s_{K-1} \, f_K . \qquad (3)$$

Il s'agit d'une équation polynomiale en r de degré $K + 1$. Elle admet donc $K + 1$ racines réelles ou complexes $r_1, \ldots, r_{K+1}$. De plus, on peut montrer qu'il n'existe qu'une seule racine à la fois réelle et positive, disons que c'est r_1.

Leslie devine que sous certaines conditions, la valeur propre r_1 sera strictement plus grande que le module de tous les autres nombres réels ou complexes $r_2, \ldots, r_{K+1}$. Dans beaucoup d'exemples concrets (où les valeurs numériques des f_k et des s_k sont connues), toutes les racines de (3) sont en plus distinctes. Pour chaque valeur propre r_i, on peut donc trouver un vecteur propre associé. Si Q est la matrice carrée de taille $K + 1$ dont les $K + 1$ colonnes sont occupées dans l'ordre par les vecteurs propres associés à $r_1, \ldots, r_{K+1}$, alors on se rend compte que M Q = Q D, où D est la matrice diagonale $[r_1, \ldots, r_{K+1}]$. Ainsi, M = Q D Q^{-1} et

$$P_n = M^n \, P_0 = Q \, D^n \, Q^{-1} \, P_0 .$$

Remarquons que D^n est la matrice diagonale $[r_1^n, \ldots, r_{K+1}^n]$ et que

$$D^n / r_1^n \longrightarrow \mathcal{D} = [1, 0, \ldots, 0]$$

quand $n \to +\infty$ puisque $r_1 > |r_i|$ pour $2 \leq i \leq K + 1$. Donc P_n / r_1^n converge vers Q $\mathcal{D}$ Q^{-1} P$_0$.

Chaque composante du vecteur P_n croît ou décroît comme r_1^n. Si $r_1 > 1$, la population croît exponentiellement. Si $r_1 < 1$, elle décroît exponentiellement. À partir de l'équation (3), on montre facilement que la condition $r_1 > 1$ est vérifiée si et seulement si le paramètre $\mathcal{R}_0$ défini par

$$\mathcal{R}_0 = f_0 + s_0 \, f_1 + s_0 \, s_1 \, f_2 + \cdots + s_0 \, s_1 \cdots s_{K-1} \, f_K$$

est strictement supérieur à 1. Ce paramètre représente le nombre moyen de filles auxquelles donne naissance une femelle au cours de sa vie (cf. les formules (2) du chapitre 14, (8) du chapitre 18 et (2) du chapitre 24). Ainsi, ce modèle est l'analogue en temps discret du travail de Lotka (cf. chap. 24) et une généralisation du travail d'Euler (cf. chap. 4).

Leslie illustre sa méthode avec des données publiées par une collègue américaine sur les coefficients f_k et s_k pour le rat brun. Moyennant quelques manipulations statistiques pour compléter les données de manière raisonnable, il obtient $\mathcal{R}_0 \simeq 26$.

La formulation matricielle de Leslie des problèmes de dynamique des populations a été adoptée par beaucoup de biologistes. De nos jours, le travail est en plus simplifié par les ordinateurs et les logiciels scientifiques capables de calculer les valeurs propres de n'importe quelle matrice. On peut donc aisément calculer non seulement le paramètre $\mathcal{R}_0$ mais aussi le taux de croissance r_1.

Après la guerre, Leslie utilise sa méthode de calcul du taux de croissance pour d'autres espèces animales : oiseaux, coléoptères... Il travaille également à des modèles stochastiques, à des modèles de compétition entre espèces et à l'analyse des données de capture-recapture avec marquage des animaux. Il prend sa retraite en 1967. Cette même année, avec la retraite de Charles Elton, le Bureau of Animal Population cesse d'exister comme centre de recherche autonome pour être intégré au département de zoologie de l'université d'Oxford. Leslie meurt en 1972.

Chapitre 26

Percolation et épidémies (1957)

John Michael Hammersley naît en 1920 en Écosse ; son père travaille pour une entreprise américaine exportant de l'acier. Il commence ses études au Emmanuel College de l'université de Cambridge mais doit rejoindre l'armée en 1940. Il y travaille à l'amélioration des calculs de tirs pour l'artillerie. Après la fin de ses études en 1948, il devient assistant à l'université d'Oxford dans le groupe qui travaille sur la conception et l'analyse des plans d'expérience. En 1955, il rejoint le Centre de recherche sur l'énergie atomique à Harwell.

Fig. 1. *John Michael Hammersley.*

En 1954, Hammersley publie en collaboration avec Morton, un collègue travaillant à Harwell, un article sur la méthode dite de Monte-Carlo dans le *Journal of the Royal Statistical Society*. Cette méthode, initiée dans les années 1940 notamment par

Nicholas Metropolis et Stanisław Ulam lorsqu'ils travaillaient pour le projet Manhattan de bombe atomique, consiste à simuler un grand nombre de fois un modèle stochastique sur ordinateur ; la fréquence d'un événement au cours de ces simulations donne alors une estimation de sa probabilité.

Lors de la discussion suivant la publication de l'article de Morton et Hammersley, Simon Broadbent, du Centre de recherche sur l'utilisation du charbon britannique, signale un problème intéressant susceptible d'être attaqué par la même méthode de Monte-Carlo : étant donné un réseau régulier de pores à deux ou trois dimensions tel que deux pores adjacents soient connectés avec une probabilité p, quelle proportion de ce réseau sera remplie par un gaz introduit par un des pores ? Broadbent s'intéresse en fait à la conception des masques à gaz pour les mineurs et en particulier à la taille des pores nécessaire à leur bon fonctionnement.

Hammersley commence alors à travailler avec Broadbent. Ils se rendent compte en particulier que le problème du masque à gaz n'est que le prototype d'une famille de problèmes pas encore étudiés : la propagation d'un « fluide » (le sens dépendant du contexte) dans un milieu aléatoire. Hammersley nomme ce type de processus « percolation » par analogie avec ce qui se passe dans une cafetière. Au Centre de recherche sur l'énergie atomique à Harwell, Hammersley a également accès à des ordinateurs parmi les plus puissants de l'époque pour essayer la méthode de Monte-Carlo sur les problèmes de percolation.

En 1957, Broadbent et Hammersley publient finalement le premier article sur la théorie mathématique de la percolation. Parmi les exemples qu'ils donnent, il en est un qui concerne la dynamique des populations. Il s'agit de la propagation d'une épidémie dans un verger. Les arbres d'un très grand verger sont supposés être placés aux nœuds d'un réseau carré. On suppose que chacun des quatre plus proches voisins d'un arbre infecté a une probabilité p d'être infecté à son tour. La question est de savoir si un grand nombre d'arbres vont être infectés ou si l'épidémie va rester localisée. Cela dépend bien entendu de la probabilité p, qui à son tour est liée à la distance entre les arbres, c'est-à-dire à la taille des mailles du réseau.

Broadbent et Hammersley s'intéressent à la situation extrême d'un verger infini recouvrant tout le plan avec au départ un seul arbre infecté. Leur résultat principal est qu'il existe une probabilité critique p^* avec $0 < p^* < 1$ telle que :
- si $p < p^*$, alors la probabilité qu'une infinité d'arbres soient infectés est nulle ;
- si $p > p^*$, il y a une probabilité strictement positive qu'une infinité d'arbres soient infectés.

En pratique, on a donc intérêt à ce que les arbres ne soient pas trop rapprochés pour que p reste inférieur à p^* en cas d'épidémie. Mais plus les arbres sont rapprochés, plus la production à l'hectare est grande. Il y a donc un compromis à trouver.

Comme le remarquent Broadbent et Hammersley, il y a une certaine similitude entre l'existence d'une probabilité critique dans les processus de percolation et l'existence d'un seuil dans les processus de branchement (cf. chap. 10, 12, 21 et 23).

Si $f(p)$ désigne la probabilité qu'une infinité d'arbres soient infectés, on s'attend à ce que $f(p)$ soit une fonction croissante de p avec $f(0) = 0$ et $f(1) = 1$. On peut essayer de déterminer numériquement la probabilité critique p^*. Pour cela, on fixe une valeur de p et on approxime le réseau infini par un réseau fini de taille N × N avec N assez grand tout de même. On suppose par exemple que l'arbre situé au centre de ce réseau est infecté. À l'aide d'un ordinateur, on peut tirer au hasard quels arbres peuvent infecter d'autres arbres. On a représenté cela par des arêtes comme dans un graphe dans la figure 2. On peut alors aisément déterminer quels arbres vont être infectés : ce sont ceux qui peuvent être joints par un chemin constitué d'arêtes à partir de l'arbre du centre. Ils sont marqués par des petits carrés noirs dans les figures.

On peut alors déterminer par exemple si l'épidémie est parvenue au moins jusqu'au bord du réseau N × N. Si tel est le cas, on peut considérer avec une approximation d'autant meilleure que N est grand que si le réseau avait été infini, il

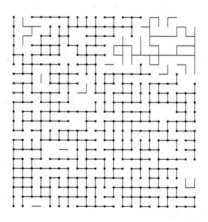

Fig. 2. *Percolation avec p = 0,4 (en haut) et p = 0,55 (en bas).*

y aurait eu une infinité d'arbres infectés. Répétant ce genre de simulation un grand nombre de fois, on peut déterminer une valeur approchée de la probabilité $f(p)$ qu'il y ait une infinité d'arbres infectés (c'est la méthode de Monte-Carlo). En faisant finalement varier p entre 0 et 1, on peut déterminer toujours de manière approximative la valeur p^* telle que $f(p) > 0$ si $p > p^*$.

L'article de Broadbent et Hammersley ne contient que la démonstration de l'existence du seuil p^*. Dans les années 1970, avec le développement des ordinateurs, il a été de plus en plus facile de faire effectivement les simulations décrites ci-dessus (fig. 3). On a alors conjecturé que $p^* = 1/2$. Ce résultat a finalement été démontré en 1980 par Harry Kesten de l'université Cornell aux États-Unis.

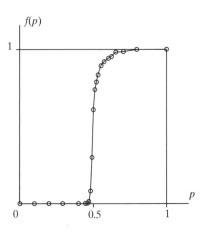

Fig. 3. *La probabilité $f(p)$ qu'un nombre infini d'arbres soient infectés en fonction de p. Les points de la courbe sont obtenus en faisant 1 000 simulations sur un réseau* 200 × 200.

De 1959 à 1969, Hammersley travaille pour l'Institut d'économie et statistiques de l'université d'Oxford. À partir de 1961, il est également *fellow* de Trinity College, toujours à Oxford.

En 1964, il publie en collaboration avec David Handscomb un livre intitulé *Monte Carlo Methods*. Élu à la Royal Society en 1976, il prend sa retraite en 1987 mais continue comme consultant à temps partiel au Centre de mathématiques appliquées et industrielles jusqu'en l'an 2000. Il meurt en 2004.

Chapitre 27

Théorie des jeux et évolution (1973)

John Maynard Smith naît à Londres en 1920. Son père, chirurgien, meurt quand il a huit ans. Maynard Smith étudie au collège d'Eton puis commence des études d'ingénieur au Trinity College de l'université de Cambridge. Il est alors membre du parti communiste de Grande-Bretagne. En 1939, lorsque la guerre éclate, il essaie de s'engager comme volontaire dans l'armée mais est rejeté à cause de sa mauvaise vue. Ses études d'ingénieur terminées, il change d'orientation et retourne étudier la génétique à University College à Londres sous la direction de Haldane. Il y enseigne de 1952 à 1965. Il quitte le parti communiste après les événements en Hongrie en 1956. Son premier livre, intitulé *The Theory of Evolution*, est publié en 1958. À partir de 1965, il est professeur de biologie à l'université du Sussex. Il publie *Mathematical Ideas in Biology* (1968) puis *On Evolution* (1972).

George R. Price naît en 1922 aux États-Unis, d'un père électricien. Il fait des études de chimie à Chicago et obtient un doctorat en 1946 après avoir travaillé pour le projet Manhattan de bombe atomique. Il enseigne d'abord la chimie à l'université de Harvard et travaille comme consultant au Argonne National Laboratory. Il devient chercheur associé en médecine à l'université du Minnesota en 1950, travaille ensuite comme journaliste indépendant pour des magazines, puis pour la compagnie IBM. En 1967, il s'installe en Angleterre et se tourne vers l'étude de la génétique des populations. Il travaille au Galton Laboratory de University College à partir de 1968. Jusque-là athée convaincu, il se convertit en 1970 au christianisme après une expérience mystique.

Fig. 1. *John Maynard Smith.*

En 1973, Maynard Smith et Price publient en commun un article dans la revue *Nature* intitulé *The logic of animal conflict*, dans lequel sont utilisés de manière originale des éléments de théorie des jeux dans un contexte d'évolution biologique. La théorie des jeux avait été développée auparavant dans des contextes économiques ou politiques, notamment à la suite du livre paru en 1944 de John von Neumann et Oskar Morgenstern intitulé *Theory of Games and Economic Behavior*. Le point de départ de Maynard Smith et Price est le suivant : comment se fait-il que dans les conflits entre animaux d'une même espèce, les « armes » dont ils disposent (cornes, griffes, venin...) ne soient que très rarement employées pour tuer alors que suivant les idées de Darwin, les animaux plus agressifs que les autres devraient remporter plus de combats et donc avoir une descendance plus nombreuse, conduisant ainsi à une escalade dans l'utilisation des « armes ». Remarquons d'ailleurs que c'est alors l'époque de la guerre froide et que le sujet a une certaine résonance politique.

Maynard Smith et Price imaginent alors une suite de jeux dans lesquels deux animaux entrent à chaque fois en compétition pour une même ressource de « valeur » $V > 0$, chacun d'eux pouvant adopter soit la stratégie « faucon », soit la stratégie

« colombe ». Dans la suite, on parle plus simplement de faucons et de colombes mais il s'agit de stratégies adoptées par des animaux de la même espèce.

Si un faucon rencontre un autre faucon, ils se battent pour la ressource : celui qui gagne remporte la ressource de valeur V, celui qui perd souffre d'un « coût » C > 0. À priori, chacun des deux faucons a une probabilité égale à 1/2 de remporter le combat et la même probabilité de le perdre. Le gain moyen d'un combat faucon-faucon est donc $\frac{1}{2}$ (V − C) pour les deux compétiteurs. Si en revanche un faucon rencontre une colombe, le faucon gagne la ressource V, la colombe fuit sans combattre avec un coût égal à 0. Si enfin une colombe rencontre une autre colombe, l'une des deux gagne la ressource V, l'autre s'enfuit sans coût. Chacune des deux colombes ayant la même probabilité de l'emporter, le gain moyen d'un combat colombe-colombe est donc V/2. Les gains peuvent donc se résumer sous la forme du tableau 1.

	un faucon	une colombe
gain d'un faucon contre...	$\frac{1}{2}$ (V − C)	V
gain d'une colombe contre...	0	V/2

Tab. 1. *Gains moyens du jeu faucon contre colombe.*

Plus généralement, on peut concevoir des combats entre des individus ayant le choix entre deux stratégies numérotées 1 et 2 avec une matrice de gains $(G_{i,j})_{1 \leqslant i,j \leqslant 2}$. Dans l'exemple présent, les faucons représentent la stratégie 1, les colombes la stratégie 2, $G_{1,1} = \frac{1}{2}$ (V − C), $G_{1,2} = V$, $G_{2,1} = 0$ et $G_{2,2} = V/2$.

Imaginons maintenant une population avec un grand nombre d'animaux de la même espèce dans laquelle, à un instant t, une proportion $x(t)$ se comporte comme des faucons et une proportion $1-x(t)$ se comporte comme des colombes. Un faucon dans cette population rentrera en compétition avec un grand nombre d'animaux qui sont soit des faucons, soit des colombes.

Son gain moyen est

$$G_1(t) = x(t)\, G_{1,1} + (1 - x(t))\, G_{1,2}\,.$$

De même, le gain moyen d'une colombe est

$$G_2(t) = x(t)\, G_{2,1} + (1 - x(t))\, G_{2,2}\,.$$

La moyenne des gains dans la population est donc

$$G(t) = x(t)\, G_1(t) + (1 - x(t))\, G_2(t)\,.$$

Si les faucons ont un gain $G_1(t)$ supérieur à la moyenne $G(t)$ pour toute la population, ils auront tendance à se reproduire plus. On peut modéliser cela par un système dynamique avec un temps discret ($t = 0, 1, 2...$) mais on considère ici la version avec le temps qui est une variable continue :

$$\frac{dx}{dt} = a\, x(G_1 - G)\,,$$

où a est un paramètre positif. Ainsi, $dx/dt > 0$ si $G_1(t) > G(t)$ et $dx/dt < 0$ si $G_1(t) < G(t)$. Explicitant $G_1(t)$ et $G(t)$ dans l'équation précédente, on obtient

$$\frac{dx}{dt} = a\, x\, (1 - x)\Big[G_{1,2} - G_{2,2} \\ + (G_{1,1} - G_{2,1} + G_{2,2} - G_{1,2})\, x\Big]. \quad (1)$$

Cherchons les points d'équilibre tels que $dx/dt = 0$.

Le point d'équilibre $x = 1$ correspond à une population avec 100% des individus qui adoptent la stratégie 1. On peut montrer que cet équilibre est stable si et seulement si l'un des deux cas suivants est réalisé :
- $G_{1,1} > G_{2,1}$;
- $G_{1,1} = G_{2,1}$ et $G_{1,2} > G_{2,2}$.

On dit dans ces deux cas qu'une population entière adoptant la stratégie 1 est « évolutionnairement stable ». Elle ne peut pas être envahie par l'introduction de quelques individus adoptant la stratégie 2. Comme dans le jeu faucons contre colombes, la condition $G_{1,2} > G_{2,2}$ est toujours vérifiée, on en conclut que la stratégie faucon est évolutionnairement stable si et seulement si $G_{1,1} \geqslant G_{2,1}$, c'est-à-dire $V \geqslant C$.

En effet, linéarisant l'équation (1) autour de $x = 1$, on trouve

$$\frac{dx}{dt} \simeq a\,(1-x)\,(G_{1,1} - G_{2,1}).$$

Ainsi, l'équilibre $x = 1$ est stable si $G_{1,1} > G_{2,1}$, instable si $G_{1,1} < G_{2,1}$. Dans le cas limite où $G_{1,1} = G_{2,1}$, l'équation (1) devient alors

$$\frac{dx}{dt} = a\,x\,(1-x)^2\,(G_{1,2} - G_{2,2}),$$

et l'équilibre $x = 1$ est stable si et seulement si $G_{1,2} > G_{2,2}$.

Le point d'équilibre $x = 0$ correspond à une population avec 100% des individus qui adoptent la stratégie 2. Cette situation est symétrique par rapport à la précédente, en inversant les indices 1 et 2. Dans le cas du jeu faucons contre colombes, on a $G_{1,2} > G_{2,2}$ donc l'équilibre $x = 0$ est toujours instable. L'introduction d'un petit nombre de faucons dans une population entièrement composée de colombes conduirait à une invasion progressive par les faucons.

L'équation (1) peut avoir un troisième point d'équilibre

$$x^* = \frac{G_{1,2} - G_{2,2}}{G_{2,1} - G_{1,1} + G_{1,2} - G_{2,2}}$$

à condition que $0 < x^* < 1$. On peut montrer que ce point d'équilibre, lorsqu'il existe, est toujours stable. Dans le cas du jeu faucons contre colombes, $x^* = V/C$ et la condition s'écrit $V < C$. Cet équilibre correspond à une population mixte avec à la fois des faucons et des colombes.

La stabilité se montre en linéarisant l'équation (1) autour de l'équilibre x^*. On trouve

$$\frac{dx}{dt} \simeq -a\,x^*\,(1 - x^*)\,(G_{2,1} - G_{1,1} + G_{1,2} - G_{2,2})\,(x - x^*).$$

En conclusion, deux cas sont possibles dans le jeu faucons contre colombes. Si $V \geqslant C$, c'est-à-dire si le gain de la ressource est supérieur au coût risqué, alors le système tend vers une population composée uniquement de faucons quelle que soit la condition initiale $x(0)$ telle que $0 < x(0) < 1$. Au contraire, si $V < C$, alors le système tend vers une population mixte avec une proportion x^* de faucons et une proportion $1 - x^*$ de colombes. Ce modèle propose donc bien une explication du maintien de comportements peu agressifs dans une population lorsque $V < C$. La formule $x^* = V/C$ montre également que plus le coût C en cas de défaite est grand, plus la proportion x^* de faucons dans la population sera faible. Ainsi, les espèces avec les armes les plus dangereuses n'y ont que très rarement recours pour les luttes au sein de l'espèce : elles s'engagent plutôt dans des rituels inoffensifs.

Après ce premier travail de Maynard Smith et Price, de nombreux modèles du même type ont été développés, appliquant des idées de théorie des jeux à des questions d'évolution en biologie ou proposant inversement une approche dynamique « évolutionniste » à des problèmes classiques en théorie des jeux. Dans la première catégorie, en dehors des questions de conflit entre animaux, on peut citer par exemple le problème de l'investissement parental et le problème du sex-ratio (le rapport entre le nombre de mâles et le nombre de femelles à la naissance), problème qui avait d'ailleurs déjà été abordé par Fisher dans son livre de 1930 *The Genetical Theory of Natural Selection*. Dans la deuxième catégorie, on peut citer par exemple le « dilemme du prisonnier » et le jeu « papier-ciseaux-caillou ».

Cependant, Price abandonne en 1974 ce sujet assez théorique qu'il estime alors « pas très utile pour résoudre les problèmes humains ». Il décide d'aider les déshérités de Londres, allant même jusqu'à leur donner son argent, ses vêtements et son appartement. Il se suicide en 1975.

Maynard Smith, à l'opposé, est élu à la Royal Society en 1977. Il publie de nombreux livres : *Models in Ecology* (1974), *The Evolution of Sex* (1978), *Evolution and the Theory of Games* (1982), *The Problems of Biology* (1986), *Did Darwin Get it Right ?* (1988), *Evolutionary Genetics* (1989). Il publie également en collaboration avec E. Szathmáry *The Major Transitions in Evolution* (1995), puis *The Origins of Life : From the Birth of Life to the Origin of Language* (1999). Il prend sa retraite en 1985. En 1999, il est l'un des trois lauréats du prix Crafoord de l'Académie royale des sciences de Suède pour ses « contributions fondamentales au développement conceptuel de la biologie de l'évolution », un prix établi pour compléter l'absence de prix Nobel pour les mathématiques, les sciences de la terre, la biologie et l'astronomie. En 2003, il publie encore en collaboration avec D. Harper *Animal Signals*. Il meurt dans le Sussex en 2004.

Chapitre 28

Les populations chaotiques (1974)

Robert McCredie May naît en 1936 en Australie. Après des études de physique théorique et une thèse qu'il soutient à l'université de Sydney en 1959, il passe deux ans au département de mathématiques appliquées de l'université de Harvard aux États-Unis. De retour en Australie, il devient professeur de physique théorique. En 1971, lors d'une visite à l'Institute for Advanced Study de Princeton, il change de sujet et s'intéresse à la dynamique des populations animales. En 1973, il devient professeur de zoologie à Princeton. La même année, il publie un livre intitulé *Stability and Complexity in Model Ecosystems*.

Fig. 1. *Robert McCredie May.*

En 1974, May publie dans la revue *Science* un article intitulé *Biological populations with nonoverlapping generations : stable points, stable cycles, and chaos*, dans lequel il montre que des modèles mathématiques très simples pour la dynamique des populations peuvent se comporter de manière chaotique.

Pour comprendre l'origine de ce problème, il faut remonter au moins une dizaine d'années en arrière. En 1963, Edward Lorenz, un chercheur américain travaillant sur la météorologie au Massachusetts Institute of Technology (M.I.T.), avait remarqué au cours de simulations numériques sur ordinateur qu'un système dynamique représentant de manière simplifiée l'évolution de l'atmosphère avec seulement trois équations différentielles pouvait avoir un comportement étonnant : un changement minime des conditions initiales d'une simulation pouvait profondément modifier le résultat final et donc aussi les prévisions météorologiques. Le mathématicien Henri Poincaré, à la suite de ses travaux sur le mouvement des planètes du système solaire, avait d'ailleurs pressenti cette possibilité au début du xxe siècle, bien avant l'ère des ordinateurs. Mais au début des années 1970, seuls quelques chercheurs commencent à s'intéresser de plus près à ces propriétés étranges. À l'université du Maryland, James Yorke se rend compte de l'intérêt de la découverte de Lorenz et introduit le terme « chaos » dans ce contexte. L'article qu'il écrit avec son étudiant Tien-Yien Li, intitulé *Period three implies chaos*, paraît en 1975.

De son côté, May s'intéresse à un modèle de la forme

$$p_{n+1} = p_n + a \, p_n (1 - p_n/\mathrm{K}), \qquad (1)$$

où a et K sont des paramètres positifs et p_n représente par exemple l'effectif d'une population animale l'année n. Lorsque p_n reste petit devant K, la dynamique est proche de la croissance géométrique $p_{n+1} \simeq (1 + a) \, p_n$. L'équation complète est en quelque sorte l'analogue en temps discret de l'équation logistique étudiée par Verhulst (cf. chap. 9). Mais contrairement à cette dernière, May montre que l'équation discrète peut avoir un comportement beaucoup plus surprenant, qu'il est facile d'observer à l'aide d'une simple calculatrice avec l'addition et la multiplication (fig. 2). Cela avait été remarqué à plusieurs reprises auparavant pour certaines valeurs du paramètre a. Par exemple, Maynard Smith avait considéré l'équation (1) en 1968 dans son livre intitulé *Mathematical Ideas in Biology* mais n'avait essayé que quelques valeurs numériques pour a. Le cas $a = 4$ avait d'ailleurs déjà été étudié par Stanisław Ulam et John von Neumann en 1947.

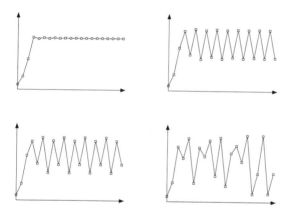

Fig. 2. *Pour toutes les figures : n en abscisse, p_n en ordonnée et $p_0 = K/10$. Les lignes continues sont obtenues en joignant les points de coordonnées (n, p_n). En haut à gauche : $0 < a < 2$. En haut à droite : $2 < a < 2,449$. En bas à gauche : $2,449 < a < 2,544$. En bas à droite : $2,570 < a \leqslant 3$.*

La figure 2, semblable à celle qui se trouve dans l'article de May de 1974, montre que pour une valeur de a fixée avec $0 < a < 2$, p_n tend vers un équilibre. Lorsque $2 < a < 2,449$ (la borne $2,449$ est une valeur approchée), p_n tend vers un cycle de période 2. Lorsque $2,449 < a < 2,544$, p_n tend vers un cycle de période double égale à 4. Lorsque $2,544 < a < 2,564$, p_n tend vers un cycle de période double égale à 8, etc. Les intervalles du paramètre a dans lesquels p_n tend vers un cycle de longueur 2^n sont de plus en plus petits à mesure que n augmente, pour finalement ne jamais dépasser 2,570. Lorsque $a > 2{,}570$, p_n se comporte de manière chaotique.

En 1976, May reprend son étude dans la revue *Nature* avec un article de synthèse intitulé *Simple mathematical models with very complicated dynamics*, rassemblant aussi les résultats obtenus par plusieurs autres chercheurs. Tout d'abord, en posant $x_n = \frac{a\,p_n}{K(1+a)}$ et $r = 1 + a$ (donc $r > 1$), on voit que l'équation (1) peut se réécrire de manière plus simple

$$x_{n+1} = r\,x_n\,(1 - x_n). \tag{2}$$

Pour que l'équation ait un sens en dynamique des populations, il faut tout de même que $x_n \geq 0$ pour tout n. On se limite donc aux conditions initiales $0 \leq x_0 \leq 1$ et on suppose que $r \leq 4$. Cette dernière condition assure que le second membre de (2) reste compris entre 0 et 1. Si l'on introduit la fonction

$$f(x) = r\,x(1 - x),$$

alors l'équation (2) peut se réécrire $x_{n+1} = f(x_n)$ et les points d'équilibre sont les solutions de $x = f(x)$. Graphiquement, ce sont les intersections de la courbe $y = f(x)$ avec la bissectrice $y = x$ (fig. 3). Dans tous les cas, 0 est un point d'équilibre. Comme $r > 1$, il y a aussi un point d'équilibre $x^* > 0$ tel que $x^* = r\,x^*(1 - x^*)$, à savoir $x^* = 1 - 1/r$.

Pour tout $r > 1$, le point d'équilibre 0 est instable. En effet, lorsque x_n est proche de 0, on a $x_{n+1} \simeq r\,x_n$ donc x_n tend à s'écarter de 0 puisque $r > 1$. Quant au point d'équilibre x^*, il n'est stable que lorsque $1 < r < 3$.

En effet, si l'on note $y_n = x_n - x^*$, on voit facilement en utilisant (2) que $y_{n+1} = (2 - r - r\,y_n)\,y_n$. Donc si x_n est proche de x^*, alors y_n est proche de 0 et $y_{n+1} \simeq (2 - r)\,y_n$. Or pour une équation de la forme $y_{n+1} = k\,y_n$, on trouve que $y_n = k^n\,y_0$ et que $y_n \to 0$ quand $n \to \infty$ si et seulement si $-1 < k < 1$. Donc ici, le point d'équilibre x^* n'est stable

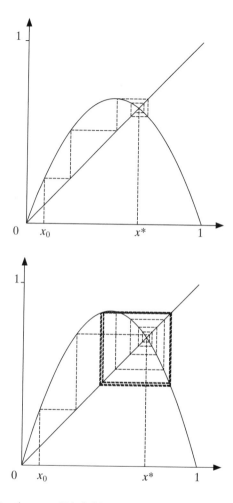

Fig. 3. *La fonction $y = f(x)$, la bissectrice $y = x$, le point d'équilibre x^* et une suite définie par $x_{n+1} = f(x_n)$. En haut : $r = 2,75$, la suite converge vers x^*. En bas : $r = 3,4$, le point d'équilibre x^* est instable et la suite converge vers un cycle de période 2.*

que lorsque $-1 < 2 - r < 1$, c'est-à-dire $1 < r < 3$.

Pour $1 < r < 3$, on peut montrer qu'effectivement, quelle que soit la condition initiale $0 < x_0 < 1$, la suite x_n tend vers x^* (fig. 3a). Mais qu'arrive-t-il quand $3 < r \leqslant 4$? Pour cela, remarquons d'abord que $x_{n+2} = f(x_{n+1}) = f(f(x_n))$. Introduisons la fonction

$$f_2(x) = f(f(x)) = r^2 x (1 - x) \left(1 - r x (1 - x)\right)$$

et étudions les solutions de l'équation $x = f_2(x)$, que l'on appelle points fixes de la fonction $f_2(x)$. Graphiquement, ce sont les points d'intersection de la courbe $y = f_2(x)$ avec la bissectrice $y = x$ (fig. 4). Notons en premier que si $x = f(x)$, alors $x = f(f(x)) = f_2(x)$. Ainsi, le point $x = 0$ et le point $x = x^*$ sont aussi des points fixes de la fonction $f_2(x)$. Mais lorsque $r > 3$, la fonction $f_2(x)$ a deux autres points fixes, x_- et x_+, tels que $f(x_-) = x_+$ et $f(x_+) = x_-$.

En effet, on remarque que $f_2'(x) = f'(f(x)) f'(x)$ donc $f_2'(x^*) = [f'(x^*)]^2$. Or $f'(x) = r(1 - 2x)$ et $x^* = 1 - 1/r$ donc $f'(x^*) = 2 - r$ et $f_2'(x^*) = (2 - r)^2$. Ainsi, la pente de la fonction $f_2(x)$ en $x = x^*$ est telle que $f_2'(x^*) > 1$ si $r > 3$. Mais comme $f_2(0) = 0$, $f_2'(0) = r^2 > 1$ et $f_2(1) = 0$, on voit graphiquement sur la figure 4b qu'il existe nécessairement deux autres solutions x_- et x_+ de l'équation $x = f_2(x)$, avec $0 < x_- < x^*$ et $x^* < x_+ < 1$. Une autre manière de s'en rendre compte est de résoudre l'équation $x = f_2(x)$, qui est une équation polynomiale de degré 4 dont ont connaît déjà deux solutions : $x = 0$ et $x = x^*$. Les deux autres solutions x_- et x_+ sont les racines du polynôme

$$x^2 - \frac{1 + r}{r} x + \frac{1 + r}{r^2} = 0. \qquad (3)$$

Elles sont réelles si le discriminant est positif, c'est-à-dire si $r > 3$. Comme $f_2(f(x_-)) = f(f(f(x_-))) = f(f_2(x_-)) = f(x_-)$, le point $f(x_-)$ est aussi un point fixe de $f_2(x)$. Mais $f(x_-) \neq x_-$ car x_- n'est pas un point fixe de $f(x)$. Et $f(x_-) \neq x^*$ car sinon on aurait $x_- = f(f(x_-)) = f(x^*) = x^*$. Comme $f(x_-) \neq 0$, on conclut que $f(x_-) = x_+$. De même, $f(x_+) = x_-$.

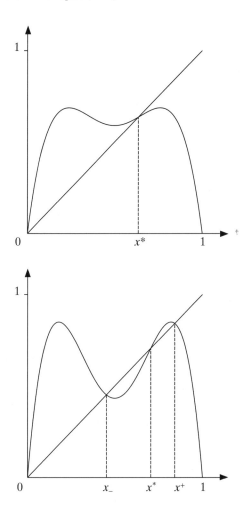

Fig. 4. *La courbe* $y = f_2(x) = f(f(x))$, *la bissectrice* $y = x$ *et le point d'équilibre* x^*. *En haut : * $r = 2,75$. *En bas : * $r = 3,4$ *et les deux autres solutions* x_- *et* x_+ *de l'équation* $x = f_2(x)$.

Ainsi, pour $r > 3$, on voit que si par exemple $x_0 = x_-$, alors $x_1 = x_+$, $x_2 = x_-$, $x_3 = x_+$, etc. On peut montrer aussi que pour presque toute condition initiale $0 < x_0 < 1$, la suite x_n se rapproche de plus en plus quand n augmente du cycle x_-, x_+, x_-, x_+, etc. (fig. 3b et 4b). Ce cycle reste stable tant que r est inférieur à la valeur critique $r_1 = 1 + \sqrt{6} \simeq 3{,}449$ où $f_2'(x_-) = -1$.

En effet, en utilisant la relation (3), on voit que

$$f_2'(x_-) = f'(f(x_-))\, f'(x_-) = f'(x_+)\, f'(x_-)$$
$$= r^2\, (1 - 2\,x_+)(1 - 2\,x_-) = r^2\, (1 - 2(x_+ + x_-) + 4\,x_+ x_-)$$
$$= r^2 \Big(1 - 2\,\frac{1+r}{r} + 4\,\frac{1+r}{r^2}\Big) = -r^2 + 2r + 4\,.$$

Ainsi, $f_2'(x_-) = -1$ si $-r^2 + 2r + 5 = 0$ donc en particulier pour $r = 1 + \sqrt{6}$.

Pour $r_1 < r < r_2$, c'est un cycle de longueur 4 qui devient stable : quatre nouveaux points fixes de la fonction

$$f_4(x) = f_2(f_2(x)) = f(f(f(f(x))))$$

apparaissent (fig. 5). Puis pour $r_2 < r < r_3$, c'est un cycle de longueur 8, etc. Les nombres r_n tendent quand $n \to +\infty$ vers une limite $r_\infty \simeq 3{,}570$. Pour $r_\infty < r \leqslant 4$, le système devient même chaotique ! La figure 6 présente un diagramme de bifurcation [1] qui donne une idée de la complexité de la dynamique.

Ainsi, May conclut que même des systèmes dynamiques très simples peuvent avoir un comportement très compliqué. Cela n'est d'ailleurs pas spécifique à l'équation $x_{n+1} = r\, x_n\, (1 - x_n)$. La même « cascade » de bifurcations avec des cycles de période 2^n menant au chaos apparaît pour d'autres équations avec une

---

1. Ce diagramme a été obtenu en traçant pour chaque valeur de r les points de coordonnées (r, x_{200}), $(r, x_{201}),\ldots,(r, x_{220})$, où $x_{n+1} = f(x_n)$ et $x_0 = 0{,}1$. Si x_n tend vers un équilibre, on ne voit qu'un point. Si x_n tend vers un cycle de période 2, on voit deux points, etc.

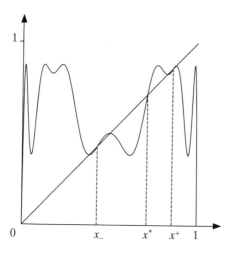

Fig. 5. *La courbe $y = f_4(x)$ lorsque $r = 3{,}5$ et la bissectrice $y = x$. En plus de x^*, x_+ et x_-, il y a quatre autres points fixes (qui ne sont pas très visibles).*

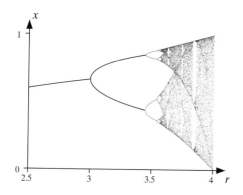

Fig. 6. *Diagramme de bifurcation de l'équation (2).*

fonction $f(x)$ ayant la forme d'une « bosse ». C'est le cas par
exemple pour l'équation $x_{n+1} = x_n \exp(r(1 - x_n))$.

Aussi ne faut-il pas s'étonner que beaucoup de données re-
latives à la dynamique de populations biologiques soient diffi-
cilement intelligibles. Le modèle montre également que la distinction entre modèles déterministes et modèles aléatoires n'est
pas aussi nette que l'on croyait : même avec un modèle déterministe simple, il peut être impossible de faire des prévisions à
long terme si les paramètres sont dans le régime chaotique.

En 1979, May est élu à la Royal Society. De 1988 à 1995,
il est professeur à l'université d'Oxford et au Imperial College
à Londres. Puis de 1995 à 2000, il est conseiller scientifique en
chef du gouvernement britannique. En 1996, il reçoit le prix Crafoord pour « ses recherches pionnières en écologie concernant
l'analyse théorique de la dynamique des populations, des com-
munautés et des écosystèmes ». De l'écologie, il se tourne vers
l'épidémiologie et l'immunologie. Deux livres en résultent : *In-
fectious Diseases of Humans* (1991, avec Roy Anderson) et *Virus
Dynamics, The Mathematical Foundations of Immunology and
Virology* (2000, avec Martin Nowak). Ce dernier livre analyse les
interactions entre les cellules du système immunitaire et le VIH
(le virus du SIDA) à la manière des systèmes proies-prédateurs
(cf. chap. 22). De 2000 à 2005, May est président de la Royal Society. Anobli en 1996, il siège depuis 2001 à la chambre des Lords.

Chapitre 29

La politique de l'enfant unique (1980)

Song Jian[1] est né en 1931 à Rongcheng dans la province du Shandong en Chine. Très jeune, il quitte son village et rejoint le Parti communiste chinois. En 1953, le Parti l'envoie étudier en Union Soviétique. En 1960, il est diplômé de l'université technique Baumann et du département de mécanique et mathématiques de l'université de Moscou. Au moment de la rupture diplomatique sino-soviétique, il retourne en Chine et devient responsable de l'Office de recherche en cybernétique à l'Institut de mathématiques de l'Académie des sciences. Il est alors un des spécialistes en Chine de l'application de la théorie du contrôle au guidage des missiles. À partir de 1965, il travaille pour le « septième ministère de l'Industrie de construction de machines » (devenu par la suite ministère de l'Industrie aérospatiale). En 1978, il commence à s'intéresser aux liens entre la théorie du contrôle et la démographie.

Pour comprendre le contexte du travail de Song Jian sur la dynamique des populations, il faut d'abord préciser un peu ce qu'est la théorie du contrôle. C'est l'étude des systèmes dynamiques dont le comportement dépend de certains paramètres que l'on peut faire varier au cours du temps pour optimiser un certain critère. Cette théorie a été notamment développée en relation avec les programmes de conquête spatiale. En effet, il faut « contrôler » la trajectoire d'une fusée pour pouvoir mettre un satellite en orbite autour de la Terre. Mais les applications ne se limitent pas à la physique ou aux problèmes rencontrés par les ingénieurs. Les politiques de limitation des naissances peuvent

---

1. En chinois, le nom de famille précède toujours le prénom.

Fig. 1. *Song Jian.*

aussi être considérées comme des problèmes de contrôle au sens mathématique du terme.

Il faut aussi mentionner le texte intitulé *The Limits to Growth : A Report for the Club of Rome's Project on the Predicament of Mankind*, publié en 1972 et rédigé par un groupe du Massachusetts Institute of Technology (M.I.T.) aux États-Unis. C'est une étude basée sur un modèle mathématique de la croissance économique mondiale qui tient compte des ressources naturelles, de la taille de la population et de la pollution. Le rapport suggère que l'économie mondiale se dirige vers une catastrophe par épuisement des ressources non renouvelables, par manque de nourriture pour la population ou par excès de pollution. La limitation volontaire des naissances est l'une des solutions proposées. En somme, il s'agit d'une version actualisée des thèses de Malthus. Le rapport trouve un large écho en Occident dans les années 1970, en particulier dans le mouvement écologiste.

La Chine, à la sortie de la Révolution culturelle, cherche aussi à limiter les naissances. Au cours des deux décennies précédentes dominées par Mao Zedong, la natalité avait atteint des records. Au milieu des années 70, un planning familial se met à nouveau en place encourageant les femmes à retarder les naissances, à les espacer et à avoir moins d'enfants. De 3,0 enfants par femme en 1975, la fertilité serait tombée à 2,3 en 1978.

Deng Xiaoping, nouvel homme fort après la mort de Mao Zedong en 1976, impose à partir de 1978 une nouvelle politique dite des « quatre modernisations » : agriculture, industrie, science et technologie et défense nationale. La taille et la croissance de la population chinoise apparaissent alors comme d'importants obstacles à ces modernisations. Des scientifiques tournés jusque-là vers les applications militaires sont encouragés à trouver des solutions à cet épineux problème.

C'est dans ce contexte que Song Jian se rend en 1978 à Helsinki pour le congrès mondial de l'International Federation of Automatic Control. Il y apprend l'existence en Europe de recherches essayant d'appliquer la théorie de contrôle à des problèmes de populations et retient l'idée qu'un contrôle strict des naissances pourrait éventuellement prévenir les catastrophes annoncées dans l'esprit du rapport *The Limits to Growth*. De retour en Chine, il se lance dans ce genre de modélisation appliquée à la population chinoise. Comme à l'époque il y a très peu de communication scientifique entre la Chine et le reste du monde, Song Jian redéveloppe par lui-même les équations décrivant l'évolution de la structure par âge de la population, équations déjà connues de Lotka et McKendrick comme on l'a vu aux chapitres 18 et 24. Notons :

- $P(t, x)$ la densité de population d'âge x à l'instant t ;
- $m(x)$ la mortalité à l'âge x ;
- $P_0(x)$ la structure de la population à l'instant $t = 0$;
- $b(t)$ la fécondité totale des femmes à l'instant t, c'est-à-dire le nombre moyen d'enfants qu'aurait une femme au cours de sa vie si la fécondité par âge restait identique à ce qu'elle est à l'instant t ;
- f la proportion de femmes dans la population ;
- $h(x)$ la distribution de probabilités de l'âge de la mère à la naissance d'un enfant ($\int_0^\infty h(x)\,dx = 1$), supposée invariable au cours du temps.

Avec ces notations et hypothèses, l'évolution de la structure par âge peut être modélisée par le système

$$\frac{\partial P}{\partial t}(x,t) + \frac{\partial P}{\partial x}(x,t) = -m(x)\,P(x,t)$$

$$P(x,0) = P_0(x)$$

$$P(0,t) = b(t)\,f\int_0^\infty h(x)\,P(x,t)\,dx\,,$$

où $b(t)$ est le paramètre qui peut être contrôlé. Song Jian en déduit que si la fécondité totale des femmes est constante et supérieure au seuil critique

$$b^* = 1 \Big/ \Big[f \int_0^\infty h(x)\,e^{-\int_0^x m(y)\,dy}\,dx \Big]\,,$$

alors la population croît exponentiellement et ne peut donc être « contrôlée ». Ce critère est semblable à celui obtenu par Lotka avec la formule (2). Song Jian considère également la version du modèle avec un temps discret. On note par exemple $P_{n,k}$ la population d'âge k l'année n. De même pour m_k, b_n et h_k. Alors

$$P_{n+1,k+1} = (1 - m_k)\,P_{n,k}\,, \qquad P_{n+1,0} = b_n\,f\sum_{k\geqslant 0} h_k\,P_{n,k}\,.$$

comme dans le modèle de Leslie (chap. 25). Connaissant les coefficients de mortalité m_k (fig. 2), la proportion de femmes dans la population $f \simeq 0{,}487$, la distribution de l'âge des mères h_k (fig. 3), la condition initiale $P_{0,k}$ c'est-à-dire la structure par âge de la population en 1978 (fig. 4) et en variant les hypothèses sur la fécondité totale b (supposée constante au cours de chaque simulation), Song Jian et ses collaborateurs peuvent alors faire des projections démographiques pour leur pays sur un horizon de cent ans, de 1980 à 2080 (fig. 5). Étant donnés les milliers d'additions et multiplications à effectuer (n varie de 0 à 100 et k de 0 à 90 ans), le recours à un ordinateur s'impose. À l'époque, en Chine, rares sont ceux qui ont accès à un tel équipement en dehors des militaires. Song Jian, expert du guidage des missiles, en fait partie.

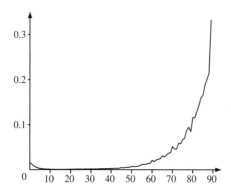

Fig. 2. *La mortalité annuelle en fonction de l'âge en 1978.*

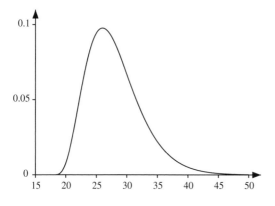

Fig. 3. *Forme idéalisée de la répartition par âge de la fertilité en 1978.*

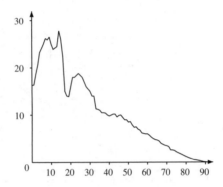

Fig. 4. *Pyramide des âges en 1978. L'axe horizontal indique la classe d'âge, l'axe vertical la population (en millions).*

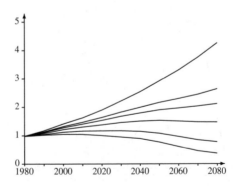

Fig. 5. *Projections démographiques (en milliards) suivant diverses hypothèses sur le nombre moyen b d'enfants par femme. De bas en haut : b = 1,0 ; 1,5 ; 2,0 ; 2,3 ; 2,5 et 3,0.*

Les projections montrent en particulier que même si la Chine maintient son niveau de fertilité de 1978 qui est $b = 2,3$ par femme, c'est-à-dire un peu au-dessus du seuil critique estimé à $b^* = 2,19$, la population devrait atteindre 2,12 milliards en 2080 ! Or la Chine utilise presque la totalité de ses terres cultivables et a même tendance à en perdre à cause de la désertification et de l'urbanisation. Comment nourrir alors une telle population sachant que les progrès en matière de rendements agricoles risquent de ne pas être suffisants ? C'est le même question que celle posée par Malthus deux siècles plus tôt. Avec le niveau de fertilité de 1975 qui est $b = 3,0$, ce serait même une population de 4,26 milliards en 2080. Avec $b = 2,0$, la population atteindrait un maximum de 1,53 milliard vers 2050 avant de commencer à décroître légèrement. Avec $b = 1,5$, un maximum de 1,17 milliard serait atteint vers 2030. Avec $b = 1,0$, le maximum ne serait plus que de 1,05 milliard et serait atteint en l'an 2000.

Le plus surprenant dans ce travail, ce sont ses conséquences pratiques, à vrai dire d'une ampleur unique dans l'histoire de la modélisation mathématique de la dynamique des populations. En effet, Song Jian présente les résultats des simulations de son équipe en décembre 1979 lors d'un symposium sur la théorie de la population à Chengdu dans la province du Sichuan. Ce symposium rassemble à la fois des spécialistes des sciences sociales et des responsables politiques. Les résultats présentés par Song Jian font forte impression sur ces derniers qui, malgré ce qu'en a dit Marx (cf. chap. 8), semblent déjà acquis à l'idée du contrôle des naissances mais hésitent encore sur les mesures à prendre. C'est alors qu'ils choisissent la solution radicale que les simulations de Song Jian suggèrent : contraindre la population à n'avoir qu'un seul enfant.

En janvier 1980, Song Jian et ses collaborateurs Yu Jingyuan et Li Guangyuan publient leur article dans une revue chinoise d'économie : *Un rapport sur une recherche quantitative concernant le développement de la population en Chine.* L'article est alors envoyé à quelques scientifiques renommés très proches du pouvoir. Dès février 1980, le Conseil d'État et le Comité central fixent comme objectif pour la population chinoise 1,2 milliard à l'horizon 2000. En mars 1980, les résultats de Song Jian et de ses collaborateurs sont publiés dans le *Quotidien du Peuple*, ce qui équivaut à dire que les conclusions de leur étude sont approuvées par les plus hauts dirigeants politiques. En avril, une commission réunissant politiques et spécialistes conclut à la nécessité de recourir à une politique d'enfant unique. Cette politique est rendue officielle en septembre de la même année.

En 1983, l'encouragement à n'avoir qu'un enfant ne suffisant pas, il fut décidé qu'un membre de chaque couple ayant déjà deux enfants serait stérilisé et que toute grossesse interdite serait interrompue. Cependant, à partir de 1984, les couples ruraux n'ayant qu'une fille furent autorisés à avoir un second enfant. La politique de l'enfant unique est encore appliquée actuellement. Quelques assouplissements ont été apportés récemment : si dans un couple, l'homme et la femme sont tous deux enfants uniques, alors ils peuvent avoir deux enfants. Les mesures dissuadant les autres couples d'avoir plus d'un enfant sont sévères : licenciement pour les fonctionnaires, forte amende pour obtenir les papiers nécessaires à la scolarisation d'un deuxième enfant... En somme, rarement les implications sociales d'un calcul mathématique auront été aussi importantes. Bien sûr, les travaux de Song Jian n'ont été qu'un des éléments aboutissant au choix de la politique de l'enfant unique mais ils semblent avoir eu un rôle assez déterminant.

Comme pour les chapitres qui précèdent, il faut bien saisir à quel niveau se place le débat. À partir d'une situation réelle, un modèle mathématique est proposé. Ce modèle peut être simulé à l'aide d'un ordinateur et analysé mathématiquement : on peut ainsi comprendre comment le modèle se comporte quand on fait varier les paramètres. Cependant, les mathématiques ne disent pas si le modèle choisi est une image fidèle de la réalité ; peut-être que certains phénomènes ont été négligés et devraient être incorporés. Aussi, certains modèles contiennent la notion d'objectif : par exemple, maintenir la population chinoise en dessous de 1,2 milliard à l'horizon de l'an 2000. Les mathématiques ne disent évidemment pas si cet objectif était judicieux. Elles disent seulement qu'avec un modèle assez simple incorporant la natalité, la mortalité et la pyramide des âges et en supposant que la natalité reste au niveau constant de 1978, cet objectif n'aurait pas pu être atteint.

En 1980, Song Jian est également coauteur de la nouvelle édition du livre intitulé *Engineering Cybernetics* de Qian Xuesen, le « père » du programme spatial chinois. Il occupe ensuite plusieurs postes politiques importants : vice-ministre et ingénieur en chef du ministère de l'Industrie aérospatiale (1981-1984), membre du Comité central du Parti communiste chinois (1982-2002), président de la commission d'état pour la science et la technologie (1985-1998), conseiller d'état (1986-1998)... Il publie également deux autres livres : *Population Control in China* (1985, avec Tuan Chi-Hsien et Yu Jingyuan) et *Population System Control* (1988, avec Yu Jingyuan). La théorie du contrôle optimal appliquée à la dynamique des populations y est beaucoup plus développée que ce qui a été présenté ici. Song Jian est élu en 1991 à l'Académie des sciences puis en 1994 à l'Académie des ingénieurs qu'il préside de 1998 à 2002.

Chapitre 30

Quelques problèmes contemporains

On va essayer maintenant de donner une petite idée des recherches contemporaines sur la modélisation mathématique de la dynamique des populations. Le sujet étant particulièrement vaste, on se limitera à un petit nombre d'exemples.

Dans le domaine de la démographie, un problème assez nouveau est apparu au cours des dernières décennies : celui du vieillissement de la population, que ce soit en France (fig. 1), dans d'autres pays européens ou au Japon. Ce problème a d'importantes conséquences économiques et sociales (financement des retraites, politique de l'immigration...). En France, des modèles mathématiques essayant d'analyser ce vieillissement sont développés notamment à l'INED (Institut national d'études démographiques) et à l'INSEE (Institut national de la statistique et des études économiques). Une des difficultés des projections démographiques réside dans le fait que la natalité peut varier considérablement au cours du temps, sans que cela puisse être prévu plusieurs dizaines d'années à l'avance. C'est particulièrement frappant si l'on remonte aux projections faites en 1968 pour ce que devait être la pyramide des âges de la population française en l'an 1985 : ces projections [1] n'avaient pas du tout anticipé la baisse de la natalité des années 1970. Il serait très instructif de construire une sorte de « bêtisier » des prédictions faites à partir de modèles mathématiques, particulièrement de celles qui ont trouvé un écho dans les médias et qui finalement se sont révélées complètement fausses. Cela contrebalancerait l'impression de

---

1. Voir par exemple l'article intitulé « Population (Géographie de la) » de l'*Encyclopaedia Universalis*, écrit en 1968 et repris tel quel dans les éditions ultérieures.

« progrès » donnée par le présent livre, impression probablement
déjà un peu suspecte chez certains après la lecture du chapitre 29
sur la politique chinoise de l'enfant unique [2]. Sur ce dernier sujet,
un nouveau problème est d'ailleurs maintenant d'actualité : celui
du choix de la meilleure manière d'assouplir ou d'abandonner
la politique de l'enfant unique pour prévenir un vieillissement
trop important de la population dans les décennies à venir. Là
encore, des modèles mathématiques sont mis à contribution.

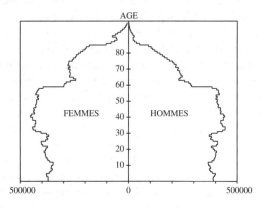

Fig. 1. *Pyramide des âges en France métropolitaine au 1ᵉʳ janvier 2006.*
Source : www.insee.fr.

Dans le domaine de l'épidémiologie, parmi les nouveaux
problèmes ayant émergé à l'échelle mondiale au cours des deux
dernières décennies, le SIDA occupe une place particulière. Certaines recherches s'orientent vers les foyers récents comme la
Russie, l'Inde ou la Chine. Il est difficile de prévoir si l'épidémie pourra y être ralentie comme en Europe et en Amérique
du Nord ou si elle atteindra un pourcentage important de la

---

2. Si cette politique est évidemment critiquée en Occident, elle semble
être plutôt bien acceptée par beaucoup de Chinois !

population comme en Afrique subsaharienne. D'autres maladies émergentes comme Ebola en Afrique, le virus West Nile en Amérique du Nord, le SRAS (syndrome respiratoire aigu sévère), la grippe aviaire et le chikungunya sont également l'objet de modélisations mathématiques.

Pour le SRAS, la difficulté à modéliser vient du fait que l'épidémie est restée relativement peu importante mais très dispersée géographiquement (Hong Kong, Chine, Singapour, Toronto...), ce qui fait que le caractère aléatoire des infections dans chaque nouveau foyer ne peut pas être négligé. Comme on l'a vu aux chapitres 18 et 26, les modèles stochastiques sont en général plus difficiles à analyser.

Pour l'épidémie de chikungunya sur l'île de la Réunion en 2005 et 2006, les modèles proposés ressemblent à celui développé par Ross pour la malaria (cf. chap. 14), les deux maladies étant transmises par des moustiques. Un aspect important à prendre en compte est l'influence des saisons : en effet, la population de moustiques décroît fortement au cours de l'hiver austral, ce qui réduit la transmission de la maladie. C'est ce que l'on observe sur la figure 2 avec le nombre de nouveaux cas rapportés chaque semaine par un réseau d'une trentaine de médecins sentinelles couvrant une petite fraction de la population. Il faut noter que ce réseau n'a pas détecté de cas pendant plusieurs semaines en septembre et octobre 2005 alors que la transmission de la maladie se poursuivait. D'un point de vue plus théorique, on peut montrer que si la population de moustiques fluctue de manière sinusoïdale, c'est-à-dire si $n(t) = n_0 \, (1 + \varepsilon \cos \omega t)$, alors la formule (2) du chapitre 14 pour le paramètre r_0 déterminant le seuil épidémique doit être remplacée par l'approximation

$$r_0 \simeq \frac{b^2 \, p \, p' \, n_0}{a \, m \, N} \left(1 - \frac{a \, m}{\omega^2 + (a + m)^2} \, \frac{\varepsilon^2}{2} \right),$$

les notations étant les mêmes qu'au chapitre 14. Des modélisations de l'épidémie de chikungunya ont été entreprises à l'INSERM (Institut national de la santé et de la recherche médicale), à l'InVS (Institut de veille sanitaire) et à l'IRD

(Institut de recherche pour le développement). Pour l'île de la Réunion, malgré l'aide des modèles, les épidémiologistes pensaient que l'épidémie s'éteindrait avant la fin de l'hiver austral 2005 après n'avoir touché que quelques milliers de personnes. Finalement, c'est près d'un tiers de la population de l'île qui aurait été infectée, soit environ 266 000 personnes. Cela montre à quel point la prédiction du développement d'une épidémie est difficile. On peut faire d'ailleurs un parallèle avec les prévisions météorologiques. Bien que cela ne soit pas généralement connu du public, celles-ci se font de nos jours à partir de modèles mathématiques très compliqués basés sur les équations de la dynamique des fluides (pour l'atmosphère et les océans) et avec l'aide d'ordinateurs. Pourtant, seules les prévisions sur quelques jours sont fiables.

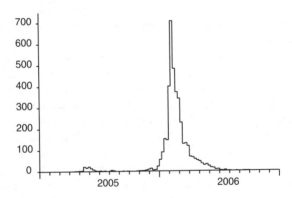

Fig. 2. *L'épidémie de chikungunya sur l'île de la Réunion en 2005/2006. Nombre de nouveaux cas par semaine rapportés par un réseau de médecins sentinelles en fonction du temps. Le premier pic est atteint en mai 2005, le second en février 2006. Il semblerait qu'il faille multiplier par environ 67 les chiffres de ce graphique pour avoir la taille réelle de l'épidémie. Source : www.invs.sante.fr.*

D'autres questions apparaissent avec la propagation de la résistance à certains médicaments (antibiotiques, antipaludiques...).

Toujours dans le domaine de l'épidémiologie, la question récurrente depuis l'époque de Daniel Bernoulli et de d'Alembert des risques potentiels liés à l'administration de vaccins ne semble pas encore complètement réglée. Ainsi, suite à une étude suggérant que le vaccin contre l'hépatite B pouvait être responsable chez certaines personnes de l'apparition d'une sclérose en plaques, le ministère français de la Santé a stoppé en 1998 la campagne de vaccination en milieu scolaire, même si le risque supposé semble beaucoup plus faible que celui d'être infecté par le virus de l'hépatite B.

Dans le domaine de l'écologie, l'étude de la dynamique des populations de poissons pose toujours beaucoup de problèmes. Pourtant, elle devrait servir de base pour le choix des quotas de pêche et pour d'éventuelles interdictions. Le problème de la surpêche de l'anchois dans le golfe de Gascogne ou du thon rouge en mer Méditerranée sont les exemples les plus récents. L'estimation des « stocks » de poissons en mer étant peu fiable, les modèles construits à partir de ces données doivent être considérés avec précaution. En France, les études de ce type sont faites principalement à l'IFREMER (Institut français de recherche pour l'exploitation de la mer). Des modèles mathématiques interviennent également dans les travaux scientifiques destinés à la Commission baleinière internationale, qui décide de l'interdiction ou de l'autorisation de la chasse de certaines espèces de cétacés.

Dans le domaine de la génétique des populations, la dispersion possible des OGM (organismes génétiquement modifiés) des parcelles avec OGM aux parcelles sans OGM est également étudiée à l'aide de modèles mathématiques qui s'inspirent de celui de Fisher (cf. chap. 15). Cette question est particulièrement étudiée à l'INRA (Institut national de la recherche agronomique).

Parmi les recherches plus théoriques, mentionnons :
- les travaux sur les équations aux dérivées partielles telles que les équations de réaction-diffusion (cf. chap. 15) ou les équations pour les populations structurées (cf. chap. 18) ;

– les travaux sur les modèles stochastiques avec ou sans dimension spatiale (cf. chap. 18 et 26).

Ces recherches sont plutôt le fait de mathématiciens intéressés par les applications. À ce sujet, on peut noter la création récente de nouvelles filières biomathématiques au niveau du mastère dans certaines universités et autres établissements d'enseignement supérieur.

Les études mathématiques sur la dynamique des populations s'organisent actuellement comme les autres branches scientifiques, c'est-à-dire essentiellement à travers :

– des sociétés savantes : *Society for Mathematical Biology* (créée en 1973), *European Society for Mathematical and Theoretical Biology* (créée en 1991), la Société Française de Biologie Théorique (créée en 1985 et renommée Société Francophone de Biologie Théorique par la suite)...

– des journaux spécialisés : *Mathematical Biosciences* (depuis 1967), *Bulletin of Mathematical Biology* (1973), *Journal of Mathematical Biology* (1974), *Mathematical Medicine and Biology* (1984), *Mathematical Population Studies* (1988), *Mathematical Biosciences and Engineering* (2004)...

– des collections de livres : *Lecture Notes in Biomathematics* (édités par Springer, 100 volumes entre 1974 et 1994) ;

– des conférences (*Mathematical and Computational Population Dynamics*, *European Conference on Mathematical and Theoretical Biology*...).

On n'a mentionné ici que les éléments se positionnant explicitement à l'interface entre les mathématiques et les applications à la dynamique des populations. Mais pour chaque domaine particulier (démographie, écologie, génétique des populations, épidémiologie...), il en existe de semblables qui abordent également le problème de la modélisation mathématique.

Comme mot de fin, on ne saurait trop recommander au lecteur intéressé de consulter celles des œuvres originales qui sont disponibles sur internet. Les adresses figurent dans la bibliographie. Car comme Ronald Fisher l'a écrit au sujet de Mendel :

> *L'histoire des sciences a grandement souffert de l'utilisation par des enseignants de documents de seconde main et de l'oubli conséquent des circonstances et de l'atmosphère intellectuelle dans lesquelles les grandes découvertes du passé ont été faites. Une étude de première main est toujours instructive et souvent... pleine de surprises.*

Bibliographie

Références générales

GILLESPIE (C. C.), *Dictionary of Scientific Biography*, New York, Scribner, 18 vol., 1970-1990.

HILLION (A.), *Les théories mathématiques des populations*, Paris, Presses Universitaires de France, coll. « Que sais-je ? », n° 2258, 1986.

Chapitre 1

PICUTTI (E.), « Léonard de Pise », dans *Pour la Science*, Dossier hors série *Les mathématiciens*, Janvier 1994, p. 6-15.

SIGLER (L. E.), *Fibonacci's Liber Abaci : A Translation into Modern English of Leonardo Pisano's Book of Calculation*, New York, Springer, 2002.

Chapitre 2

COOK (A.) *Edmond Halley : Charting the Heavens and the Seas*, Oxford University Press, 1998.

HALLEY (E.) « An estimate of the degrees of the mortality of mankind, drawn from curious tables of the births and funerals at the city of Breslaw ; with an attempt to ascertain the price of annuities upon lives », *Philosophical Transactions of the Royal Society of London*, 1694 (année 1693), p. 596-610. http://gallica.bnf.fr.

LE BRAS (H.), *Naissance de la mortalité : l'origine politique de la statistique et de la démographie*, Paris, Gallimard / Le Seuil, 2000.

Chapitre 3

Leonhard Euler 1707-1783, Beiträge zu Leben und Werk, Basel, Birkhäuser, 1983.

EULER (L.), *Introduction à l'analyse infinitésimale*, trad. J. B. Labey, Paris, ACL-éditions, 1987. http://gallica.bnf.fr.

GRAUNT (J.), *Observations naturelles et politiques répertoriées dans l'index ci-après et faites sur les bulletins de mortalité par John Graunt, citoyen de Londres, en rapport avec le gouvernement, la religion, le commerce, l'accroissement, l'atmosphère, les maladies et les divers changements de ladite cité*, trad. E. Vilquin, Paris, INED, 1977. http://echo2.mpiwg-berlin.mpg.de/content/demography/demography/Graunt_1665.

Chapitre 4

EULER (L.), « Recherches générales sur la mortalité et la multiplication du genre humain », *Histoire de l'Académie royale des sciences et belles-lettres*, Berlin, 1767 (année 1760), p. 144-164. http://bibliothek.bbaw.de.

EULER (L.), « Sur les rentes viagères », *ibid.*, p. 165-175.

Chapitre 5

STRAUB (H.), « Bernoulli, Daniel », dans GILLESPIE (C. C.), *op. cit.*, vol. 2, p. 36-46.

BERNOULLI (D.), « Essai d'une nouvelle analyse de la mortalité causée par la petite vérole et des avantages de l'inoculation pour la prévenir », *Histoire de l'Académie royale des sciences avec les mémoires de mathématique et de physique tirés des registres de cette Académie*, Paris, 1766 (année 1760), p. 1-45. http://gallica.bnf.fr.

DIETZ (K.) et HEESTERBEEK (J. A. P.), « Bernoulli was ahead of modern epidemiology », *Nature*, vol. 408, 2000, p. 513.

DIETZ (K.) et HEESTERBEEK (J. A. P.), « Daniel Bernoulli's epidemiological model revisited », *Mathematical Biosciences*, vol. 180, 2002, p. 1-21.

Chapitre 6

EMERY (M.) et MONZANI (P.), *Jean d'Alembert, savant et philosophe*, Paris, Éditions des Archives contemporaines, 1989.

D'ALEMBERT (J.), « Onzième mémoire », dans *Opuscules mathématiques*, t. 2, Paris, David, 1761, p. 26-95. http://gallica.bnf.fr.

LAPLACE (P.-S.), « Théorie analytique des probabilités », dans *Œuvres complètes de Laplace*, t. 7, Paris, Gauthier-Villars, 1886. http://gallica.bnf.fr.

Chapitre 7

FORMEY (S.), « Éloge de Mr. Süssmilch », *Histoire de l'Académie royale des sciences et des belles-lettres de Berlin*, 1769 (année 1767), p. 496-505. http://bibliothek.bbaw.de.

KRIEGEL (M.) et HECHT (J.), *Süssmilch, « L'ordre divin » aux origines de la démographie*, Paris, INED, 3 vol., 1979-1984.

SÜSSMILCH (J. P.), *Die göttliche Ordnung in den Veränderungen des menschlichen Geschlechts aus der Geburt, dem Tode und der Fortpflanzung desselben : Erster Theil*, Berlin, 1761. http://echo2.mpiwg-berlin.mpg.de/content/demography/ demography/suessmilch_1761.

EULER (L.), « Sur la multiplication du genre humain », dans DU PASQUIER (L. G.), *Leonhardi Euleri Opera omnia, Ser. I, vol. 7*, Leipzig, Teubner, 1923, p. 545-552.

Chapitre 8

SIMPKINS (D. M.), « Malthus, Thomas Robert », dans GILLESPIE (C. C.), *op. cit.*, vol. 9, p. 67-71.

MALTHUS (T. R.), *Essai sur le principe de population*, trad. E. Vilquin, Paris, INED, 1980. www.econlib.org/library/Malthus/malPop.html.

DARWIN (C.), *L'origine des espèces au moyen de la sélection naturelle ou la lutte pour l'existence dans la nature*, trad. J.-J. Moulinié, Paris, C. Reinwald, 1873. http://gallica.bnf.fr.

MARX (K.), *Le capital*, trad. J. Roy, Paris, Flammarion, 1985. www.marxists.org/francais/marx/works/1867/Capital-I.

Chapitre 9

DELMAS (B.), « Pierre-François Verhulst et la loi logistique de la population », *Mathématiques et Sciences humaines*, vol. 167, 2004, p. 51-81. http://msh.revues.org/document2893.html.

VERHULST (P.-F.), « Notice sur la loi que la population poursuit dans son accroissement », *Correspondance Mathématique et Physique*, vol. 10, 1838, p. 113-121.

VERHULST (P.-F.), « Recherches mathématiques sur la loi d'accroissement de la population », *Nouveaux mémoires de l'Académie royale des sciences et belles-lettres de Bruxelles*, vol. 18, 1845, p. 1-45. www.sub.uni-goettingen.de.

Chapitre 10

HEYDE (C. C.) et SENETA (E.), *I. J. Bienaymé : Statistical Theory Anticipated*, New York, Springer, 1977.

KENDALL (D. G.), « The genealogy of genealogy : branching processes before (and after) 1873 », *Bulletin of the London Mathematical Society*, vol. 7, 1975, p. 225-253.

BRU (B.), « À la recherche de la démonstration perdue de Bienaymé », *Mathématiques et Sciences humaines*, vol. 114, 1991, p. 5-17. www.numdam.org.

Chapitre 11

OREL (V.) et ARMOGATHE (J.-R.), *Mendel, un inconnu célèbre*, Paris, Belin, 1985.

MENDEL (G.), « Recherches sur des hybrides végétaux », trad. A. Chappellier, *Bulletin Scientifique de la France et de la Belgique*, t. 41, 1907, p. 371-419. www2.unil.ch/lpc/docs/pdf/mendel.pdf.

Chapitre 12

GALTON (F.), *Memories of my Life*, Londres, Methuen & Co., 1908. http://galton.org.

S. H. B., « Henry William Watson, 1827-1903 », *Proceedings of the Royal Society of London*, vol. 75, 1905, p. 266-269. http://gallica.bnf.fr.

WATSON (H. W.) et GALTON (F.), « On the probability of the extinction of families », *Journal of the Anthropological Institute*, vol. 4, 1874, p. 138-144. http://galton.org.

KENDALL (D. G.), « Branching processes since 1873 », *Journal of the London Mathematical Society*, vol. 41, 1966, p. 385-406.

Chapitre 13

TITCHMARSH (E. C.), « Godfrey Harold Hardy, 1877-1947 », *Obituary Notices of Fellows of the Royal Society*, vol. 6, 1949, p. 446-461.

HARDY (G. H.), « Mendelian proportions in a mixed population », *Science*, vol. 28, 1908, p. 49-50. www.esp.org/foundations/genetics/classical/hardy.pdf.

STERN (C.), « The Hardy-Weinberg law », *Science*, vol. 97, 1943, p. 137-138.

STERN (C.), « Wilhelm Weinberg 1862-1937 », *Genetics*, vol. 47, 1962, p. 1-5.

Chapitre 14

G. H. F. N., « Sir Ronald Ross, 1857-1932 », *Obituary Notices of Fellows of the Royal Society*, vol. 1, 1933, p. 108-115.

ROSS (R.), *The Prevention of Malaria*, 2ᵉ éd., Londres, John Murray, 1911.

Chapitre 15

FISHER BOX (J.), *R. A. Fisher, The Life of a Scientist*, New York, John Wiley & Sons, 1978.

FISHER (R. A.), « On the dominance ratio », *Proceedings of the Royal Society of Edinburgh*, vol. 42, 1922, p. 321-341. http://digital.library.adelaide.edu.au/coll/special/fisher.

FISHER (R. A.), *The Genetical Theory of Natural Selection*, Oxford, Clarendon Press, 1930.

Chapitre 16

YATES (F.), « George Udny Yule », *Obituary Notices of Fellows of the Royal Society*, vol. 8, 1952, p. 308-323.

YULE (G. U.), « A mathematical theory of evolution, based on the conclusions of Dr. J. C. Willis, F. R. S. », *Philosophical Transactions of the Royal Society of London, Series B*, vol. 213, 1924, p. 21-87. http://gallica.bnf.fr.

ALDOUS (D. J.), « Stochastic models and descriptive statistics for phylogenetic trees, from Yule to today », *Statistical Science*, vol. 16, 2001, p. 23-34.

Chapitre 17

KINGSLAND (S. E.), *Modeling Nature : Episodes in the History of Population Ecology*, Chicago, University of Chicago Press, 1985.

LOTKA (A. J.), « Analytical note on certain rhythmic relations in organic systems », *Proceedings of the National Academy of Sciences*, vol. 6, 1920, p. 410-415. http://www.pnas.org.

LOTKA (A. J.), *Elements of Physical Biology*, Baltimore, Williams & Wilkins, 1925.

Chapitre 18

GANI (J.), « Anderson Gray McKendrick », dans HEYDE (C. C.) et SENETA (E.), *Statisticians of the Centuries*, New York, Springer, 2001, p. 323-327.

MCKENDRICK (A. G.), « Applications of mathematics to medical problems », *Proceedings of the Edinburgh Mathematical Society*, vol. 13, 1926, p. 98-130.

KERMACK (W. O.) et MCKENDRICK (A. G.), « A contribution to the mathematical theory of epidemics », *Proceedings of the Royal*

Society of London, Series A, vol. 115, 1927, p. 700-721. `http://gallica.bnf.fr`.

Chapitre 19

CLARK (R.), *J. B. S., The Life and Work of J. B. S. Haldane*, London, Hodder and Stoughton, 1968.

HALDANE (J. B. S.), « A mathematical theory of natural and artificial selection, Part V : Selection and mutation », *Proceedings of the Cambridge Philosophical Society*, vol. 23, 1927, p. 838-844.

Chapitre 20

PROVINE (W. B.), *Sewall Wright and Evolutionary Biology*, The University of Chicago Press, 1989.

WRIGHT (S.), « Evolution in Mendelian populations », *Genetics*, vol. 16, 1931, p. 97-159.

Chapitre 21

BROCKMEYER (E.), HALSTRØM (H. L.) et JENSEN (A.), « The life and works of A. K. Erlang », *Acta Polytechnica Scandinavica, Applied Mathematics and Computing Machinery Series*, vol. 6, 1960.

OGBORN (M. E.), « Johan Frederik Steffensen, 1873-1961 », *Journal of the Royal Statistical Society, Series A*, vol. 125, 1962, p. 672-673.

STEFFENSEN (J. F.), « Deux problèmes du calcul des probabilités », *Annales de l'Institut Henri Poincaré*, vol. 3, 1933, p. 319-344. `www.numdam.org`.

Chapitre 22

WHITTAKER (E. T.), « Vito Volterra, 1860-1940 », *Obituary Notices of Fellows of the Royal Society*, vol. 3, 1941, p. 690-729.

VOLTERRA (V.), « Fluctuations in the abundance of a species considered mathematically », dans REAL (L. A.) et BROWN (J. H.), *Foundations of Ecology*, The University of Chicago Press, 1991, p. 283-285.

VOLTERRA (V.), *Leçons sur la théorie mathématique de la lutte pour la vie*, Paris, Gauthier-Villars, 1931.

Chapitre 23

FISHER (R. A.), « The wave of advance of advantageous genes », *Annals of Eugenics*, vol. 7, 1937, p. 355-369. `http://digital.library.adelaide.edu.au/coll/special/fisher`.

Shiryaev (A. N.), « Andrei Nikolaevich Kolmogorov (April 25, 1903 to October 20, 1987) », dans *Kolmogorov in Perspective*, American Mathematical Society, coll. « History of Mathematics », vol. 20, 2000, p. 1-88.

Kolmogorov (A. N.), Petrovskii (I. G.) et Piskunov (N. S.), « A study of the diffusion equation with increase in the amount of substance, and its application to a biological problem », dans Tikhomirov (V. M.), *Selected Works of A. N. Kolmogorov*, Dordrecht, Kluwer Academic Publishers, 1991, p. 242-270.

Chapitre 24

Lotka (A. J.), *Théorie analytique des associations biologiques, 2ᵉ partie : analyse démographique avec application particulière à l'espèce humaine*, Paris, Hermann, 1939.

Chapitre 25

« Dr P. H. Leslie », *Nature*, vol. 239, 1972, p. 477-478.

Crowcroft (P.), *Elton's Ecologists : a History of the Bureau of Animal Population*, Chicago, University of Chicago Press, 1991.

Leslie (P. H.), « On the use of matrices in certain population mathematics », *Biometrika*, vol. 33, 1945, p. 213-245.

Chapitre 26

Grimmett (G.) et Welsh (D.), « John Michael Hammersley », *Biographical Memoirs of Fellows of the Royal Society*, vol. 53, 2007, p. 163-183.

Broadbent (S. R.) et Hammersley (J. M.), « Percolation processes I : Crystals and mazes », *Proceedings of the Cambridge Philosophical Society*, vol. 53, 1957, p. 629-641.

Hammersley (J. M.), « Origins of percolation theory », dans Deutscher (G.), Zallen (R.) et Adler (J.), *Percolation Structures and Processes*, Israel Physical Society, 1983, p. 47-57.

Chapitre 27

Charlesworth (B.) et Harvey (P.), « John Maynard Smith, 6 January 1920 – 19 April 2004 », *Biographical Memoirs of Fellows of the Royal Society*, vol. 51, 2005, p. 253-265.

Frank (S. A.), « George Price's contributions to evolutionary genetics », *Journal of Theoretical Biology*, vol. 175, 1995, p. 373-388.

Maynard Smith (J.) et Price (G. R.), « The logic of animal conflict », *Nature*, vol. 246, 1973, p. 15-18.

MAYNARD SMITH (J.), *Evolution and the Theory of Games*, Cambridge University Press, 1982.

Chapitre 28

GLEICK (J.), *Chaos : Making a New Science*, New York, Viking Penguin Inc., 1987.

MAY (R. M.), « Biological populations with nonoverlapping generations : stable points, stable cycles, and chaos », *Science*, vol. 186, 1974, p. 645-647.

MAY (R. M.), « Simple mathematical models with very complicated dynamics », *Nature*, vol. 261, 1976, p. 459-467.

Chapitre 29

SONG (J.), *Selected Works of J. Song*, Pékin, Science Press, 1999.

SONG (J.), « Some developments in mathematical demography and their application to the People's Republic of China », *Theoretical Population Biology*, vol. 22, 1982, p. 382-391.

SONG (J.) et YU (J.), *Population System Control*, Pékin/Berlin, China Academic Publishers/Springer, 1988.

GREENHALGH (S.), « Missile science, population science : The origins of China's one-child policy », *China Quarterly*, vol. 182, 2005, p. 253-276.

Chapitre 30

LEVIN (S. A.), « Mathematics and biology : the interface ». www.bio.vu.nl/nvtb/Contents.html.

BACAËR (N.), « Approximation of the basic reproduction number R_0 for vector-borne diseases with a periodic vector population », *Bulletin of Mathematical Biology*, vol. 69, 2007, p. 1067-1091.

BENNETT (J. H.), *Experiments in Plant Hybridisation*, Edinburgh, Oliver & Boyd, 1965.

Index

Anderson, R. M. (1947-), 180
Apollonius de Perga (∼262-190 av. J.-C.), 12

Benoiston de Châteauneuf, L.-F. (1776-1856), 57, 68
Bernoulli, D. (1700-1782), 13, 23–31, 34, 36, 53, 109, 195
Bernoulli, Jacques (1654-1705), 23, 27
Bernoulli, Jean (1667-1748), 13, 23
Bernoulli, Nicolas I (1687-1759), 11
Bernoulli, Nicolas II (1695-1726), 13
Bienaymé, I.-J. (1796-1878), 57–60, 68, 74, 120, 122, 131, 145
Boltzmann, L. (1844-1906), 74
Briggs, H. (1561-1630), 15
Broadbent, S. R., 158, 159, 161

Candolle, A. de (1806-1893), 67, 73
Comte, A. (1798-1857), 58
Condorcet, J.-A.-N. de Caritat de (1743-1794), ix, xi, 45, 46, 48
Correns, C. (1864-1933), 66
Cournot, A.-A. (1801-1877), 59

d'Alembert, J. le Rond (1717-1783), 23, 33–37, 195
D'Ancona, U. (1896-1964), 137, 140

Darwin, C. (1809-1882), 47, 48, 67, 78, 90, 164, 169
De Vries, H. (1848-1935), 65
De Witt, J. (1625-1672), 9
Deng, X. (1904-1997), 183
Diderot, D. (1713-1784), 34
Doppler, C. (1801-1853), 61
Doubleday, T. (1790-1870), 57
Dublin, L. I. (1882-1969), 147
Duvillard, E.-É. (1755-1832), 37

Elderton, W. P. (1877-1962), 135
Elton, C. S. (1900-1991), 151, 155
Erlang, A. K. (1878-1929) , 131–133, 145
Euler, L. (1707-1783), 3, 13–23, 33, 36, 39–41, 49, 135, 147–149, 155

Feller, W. (1906-1970), 148
Fibonacci, 1–3, 40
Fisher, R. A. (1890-1962), 48, 63, 78, 89, 90, 92, 119–122, 125, 127, 128, 131, 141–143, 145, 146, 148, 168, 195, 197
Flamsteed, J. (1646-1719), 5, 12
Fourier, J. (1768-1830), 141
Frédéric II de Prusse (1712-1786), 13, 37
Frédéric II Hohenstaufen (1194-1250), 3

Galton, F. (1822-1911), 67–69, 73, 74, 78, 89, 92, 120, 131, 135, 145, 151
Godwin, W. (1756-1836), 45

208

Index

Graunt, J. (1620-1674), 6, 11, 16, 101
Gumbel, E. J. (1891-1966), 43

Haldane, J. B. S. (1892-1964), 92, 119–122, 131, 145, 163
Halley, E. (1656-1742), 5–12, 21, 22, 27, 28
Hammersley, J. M. (1920-2004), 157–159, 161
Handscomb, D., 162
Hardy, G. H. (1877-1947), 75–77, 79, 80, 90, 91, 126–128
Harper, D. (1950-), 169
Hertz, H. (1857-1894), 95
Hopkins, F. G. (1861-1947), 119
Hostinský, B. (1884-1951), 140
Hudde, J. (1628-1704), 9
Huxley, J. (1887-1975), 123
Huygens, C. (1629-1695), 11

Jenner, E. (1749-1823), 36
Jensen, J. L. W. V. (1859-1925), 131
Justel, H. (1620-1693), 7

Kepler, J. (1571-1632), 3, 5, 12
Kermack, W. O. (1898-1970), 114, 116–118
Kersseboom, W. (1691-1771), 22
Kesten, H. (1931-), 161
Koenigs, G. (1858-1931), 122
Kolmogorov, A. N. (1903-1987), 143–146

L'Hospital, G. de (1661-1704), 142
La Condamine, C.-M. de (1701-1774), 24
Lambert, J. H. (1728-1777), 37
Laplace, P.-S. (1749-1827), 37, 57
Laveran, A. (1845-1922), 81
Leibniz, G. W. (1646-1716), 7, 11, 13, 25

Leslie, P. H. (1900-1972), 151–155, 184
Lespinasse, J. de (1732-1776), 34, 37
Li, G., 187
Li, T.-Y. (1945-), 172
Littlewood, J. E. (1885-1977), 79
Littré, É. (1801-1881), 58
Lorenz, E. N. (1917-), 172
Lotka, A. J. (1880-1949), 103–105, 107, 139, 140, 144, 147–150, 153, 155, 183, 184
Louis XIV (1638-1715), 24
Louis XV (1710-1774), 36
Louis, le Grand Dauphin (1661-1711), 24
Lyssenko, T. D. (1898-1976), 123

Malthus, T. R. (1766-1834), 17, 45–49, 52, 54, 57, 135, 182, 187
Manson, P. (1844-1922), 81
Mao, Z. (1893-1976), 182, 183
Markov, A. A. (1856-1922), 111, 144
Marx, K. (1818-1883), 48
Maupertuis, P.-L. Moreau de (1698-1759), 24
Maxwell, J. C. (1831-1879), 74
May, R. M. (1936-), 171–174, 178, 180
Maynard Smith, J. (1920-2004), 163, 164, 168, 169, 173
McKendrick, A. G. (1876-1943), 96, 109–111, 113, 114, 116–118, 183
Mendel, G. (1822-1884), 61–65, 67, 75, 77, 78, 89, 92, 197
Metropolis, N. (1915-1999), 158
Moivre, A. de (1667-1754), 11, 22

Montagu, M. Wortley (1689-1762), 24

Morgestern, O. (1902-1976), 164

Morton, K. W., 157, 158

Mussolini, B. (1883-1945), 140

Napoléon III (1808-1873), 60

Neper, J. (1550-1617), 15

Neumann, C. (1648-1715), 5, 7, 11

Neumann, J. von (1903-1957), 164, 173

Newton, I. (1643-1727), 5, 13, 25

Nowak, M., 180

Ostwald, W. (1853-1932), 103

Pólya, G. (1887-1985), 79

Pearl, R. (1879-1940), 56, 103

Pearson, K. (1857-1936), 74, 78, 92, 95, 151

Petrovsky, I. G. (1901-1973), 143, 145, 146

Petty, W. (1623-1687), 6, 101

Piskounov, N. S. (1908-), 143, 145, 146

Pitt, W. (1759-1806), 46

Poincaré, H. (1854-1912), 172

Poisson, S.-D. (1781-1840), 121

Price, G. R. (1922-1975), 163, 164, 168

Punnett, R. C. (1875-1967), 76, 93

Pérès, J.-J.-C. (1890-1962), 137, 140

Qian, X. (1911-), 189

Quételet, A. (1796-1874), 47, 51, 52

Ramanujan, S. A. (1887-1920), 79

Reed, L. J. (1886-1966), 56, 103

Riesz, M. (1886-1969), 79

Rogosinski, W. W. (1894-1964), 79

Ross, R. (1857-1932), 81, 82, 84–87, 103, 109, 110, 116, 193

Rousseau, J.-J. (1712-1778), 34, 45

Süssmilch, J. P. (1707-1767), 39, 40, 43, 49

Serebrovski, A. S. (1892-1948), 143

Song J. (1931-), 181–184, 187–189

Steffensen, J. F. (1873-1961), 133–136, 145, 149

Szathmáry, E. (1959-), 169

Tchebychev, P. L. (1821-1894), 57

Tencin, C.-A. Guérin de (1682-1749), 33

Tschermak, E. von (1871-1962), 66

Tuan, C., 189

Ulam, S. (1909-1984), 158, 173

Verhulst, P.-F. (1804-1849), 47, 51, 52, 54–56, 141, 172

Vlacq, A. (1600-1667), 15

Voltaire (1694-1778), 24, 37

Volterra, V. (1860-1940), 107, 137–140, 144

Wallace, A. R. (1823-1913), 48

Watson, H. W. (1827-1903), 68, 69, 71, 73, 74, 120, 122, 131, 135, 145

Weinberg, W. (1862-1937), 79, 80, 126–128

Weldon, W. F. R. (1860-1906), 151

Willis, J. C. (1868-1958), 96, 97

Wright, E. M. (1906-2005), 79

Wright, S. (1889-1988), 92, 125,
        127–129

Yorke, J. A. (1941-), 172
Yu, J. (1937-), 187, 189
Yule, G. U. (1871-1951), 95, 97–
        99, 101, 102

Illustrations

p. 6. Portrait par Thomas Murray (vers 1687). © The Royal Society.

p. 14. Portrait par Emanuel Handmann (1753). Kunstmuseum de Bâle. *Leonhard Euler 1707-1783, Beiträge zu Leben und Werk*, Basel, Birkhäuser, 1983.

p. 24. Portrait par Johann Niclaus Grooth (vers 1750-1755). Musée d'Histoire naturelle de Bâle. SPEISER (D.), *Die Werke von Daniel Bernoulli*, vol. 2, Basel, Birkhäuser, 1982, p. 2.

p. 34. Portrait par Maurice Quentin Delatour (1753). © Département des arts graphiques du musée du Louvre.

p. 40. Photo par Meisenbeck, Riffarth et Cie (Berlin). LUDWIG (W.), « Über die Anfänge der Statistik und Biometrik », *Biometrische Zeitschrift*, vol. 1, 1959, p. 72.

p. 45. Portrait par John Linnell (1833). Haileybury College, Angleterre. HABAKKUK (H. J.), « Thomas Robert Malthus, F. R. S. (1766-1834) », *Notes and Records of the Royal Society of London*, vol. 14, 1959, plate 4. © Rupert Hart-Davis Ltd.

p. 51. Portrait gravé par Flameng (1850). QUÉTELET (A.), « Notice sur Pierre-François Verhulst », *Annuaire de l'Académie royale pour 1850*. DELMAS (B.), « Pierre-François Verhulst et la loi logistique de la population », *Mathématiques et Sciences humaines*, vol. 167, 2004, p. 52.

p. 58. HEYDE (C. C.) et SENETA (E.), *I. J. Bienaymé, Statistical Theory Anticipated*, New York, Springer-Verlag, 1977, p. ii. © Académie des sciences, Paris.

p. 68. PEARSON (K.), *The Life, Letters, and Labors of Francis Galton*, vol. 1, Londres, Cambridge University Press, 1914, plate LXI.

p. 68. KENDALL (D. G.), « Branching processes since 1873 », *Journal of the London Mathematical Society*, vol. 41, 1966, p. 385. © Trinity College, Cambridge.

p. 75. TITCHMARSH (E. C.), « Godfrey Harold Hardy, 1877-1947 », *Obituary Notices of Fellows of the Royal Society*, vol. 6, 1949, p. 446.

p. 79. STERN (C.), « Wilhelm Weinberg 1862-1937 », *Genetics*, vol. 47, 1962, p. 1.

p. 82. « Sir Ronald Ross, 1857-1932 », *Obituary Notices of Fellows of the Royal Society*, vol. 1, 1933, p. 108.

p. 90. YATES (F.) et MATHER (K.), « Ronald Aylmer Fisher, 1890-1962 », *Biographical Memoirs of Fellows of the Royal Society*, vol. 9, 1963, p. 91. © Godfrey Argent Studio.

p. 95. Yates (F.), « George Udny Yule », *Obituary Notices of Fellows of the Royal Society*, vol. 8, 1952, p. 310.

p. 104. Kingsland (S. E.), *Modeling Nature : Episodes in the History of Population Ecology*, 2nd ed., Chicago, University of Chicago Press, 1995, p. 27. © Metropolitan Life Insurance Company.

p. 110. Heyde (C. C.) et Seneta (E.), *Statisticians of the Centuries*, New York, Springer, 2001, p. 323.

p. 120. Clark (R.), *J. B. S., The Life and Work of J. B. S. Haldane*, Londres, Hodder and Stoughton, 1968, p. 2.

p. 125. Hill (W. G.), « Sewall Wright, 21 December 1889-3 March 1988 », *Biographical Memoirs of Fellows of the Royal Society*, vol. 36, 1990, p. 569. © Llewellyn Studios, Chicago.

p. 138. Volterra en docteur *honoris causa* de l'université de Cambridge (1900). Whittaker (E. T.), « Vito Volterra, 1860-1940 », *Obituary Notices of Fellows of the Royal Society*, vol. 3, 1941, p. 691.

p. 144. *Russian Mathematical Surveys*, vol. 43, n° 1, 1988. © The British Library and London Mathematical Society.

p. 152. Caswell (H.), *Matrix Population Models*, 2nd ed., Sunderland (Massachusetts), Sinauer Associates Inc., 2001, p. 31. © Sir Peter Leslie.

p. 157. Grimmett (G.), « John Michael Hammersley, 1920-2004 », www.statslab.cam.ac.uk/~grg/papers/ham1-ph.html. © Geoffrey Grimmett.

p. 164. Charlesworth (B.) et Harvey (P.), « John Maynard Smith, 6 January 1920 – 19 April 2004 », *Biographical Memoirs of Fellows of the Royal Society*, vol. 51, 2005, p. 253. © The Royal Society.

p. 171. http://archiv.ethlife.ethz.ch/articles/tages/latsisbobmay.html. © ETH Zürich.

p. 182. Song (J.), *Selected works of J. Song*, Pékin, Science Press, 1999, p. i. © Song Jian.

IMPRIMÉ EN GRANDE-BRETAGNE PAR CAMBRIDGE UNIVERSITY PRESS.

DÉCEMBRE 2008